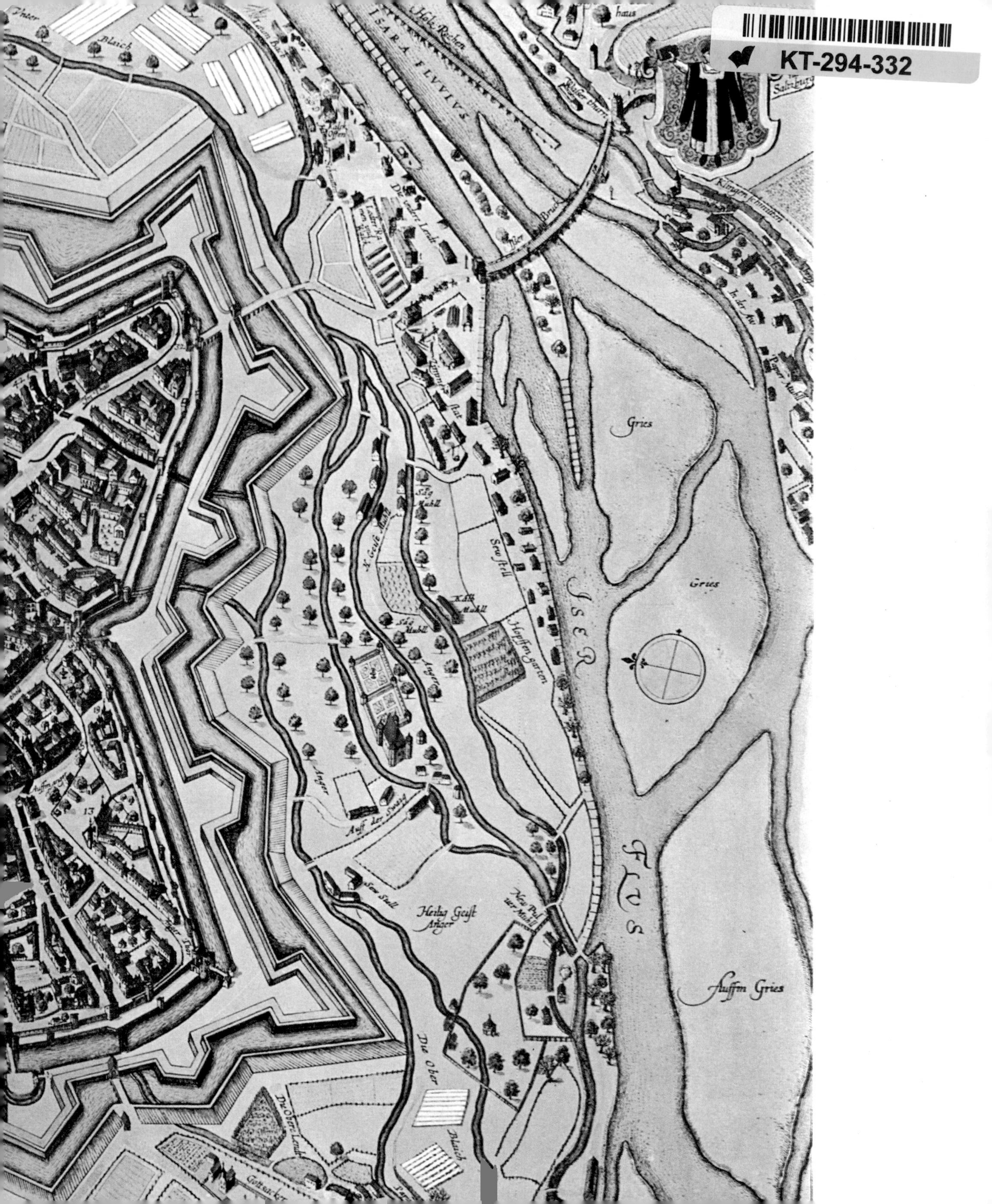
ISARA FLVVIVS
Holz Rechen
Blaich
Gries
Gries
ISER
FLVS
Hopffen garten
Heilig Geist Anger
Anger
Auffm Gries
Die Ober
Bleich

Karl Bosl München

München

Bürgerstadt - Residenz - heimliche Hauptstadt Deutschlands

von

Karl Bosl

Konrad Theiss Verlag
Stuttgart und Aalen

bibliotheca urbana
herausgegeben von Otto Borst

ISBN 3 8062 0104 8

Gestaltung und Typografie: Hans Schleuning
Schutzumschlag: Ottmar Frick
Gesamtherstellung Grafische Betriebe Süddeutscher Zeitungsdienst Aalen
Printed in Germany

Meinem Bruder Siegfried zum 60. Geburtstag

Inhalt

Einleitung

München hat so rasch den Sprung von der zentralen Landeshauptstadt über das Zwischenstadium des »Millionendorfes« zur Millionenstadt, zum Industrie- und Großhandelszentrum getan, daß es nicht nur mehr den Bayern und Deutschen, sondern in einem besonderen Maße den Europäern und als Kulturzentrum im olympischen Lorbeer auch der Welt zugehört. Es hat soviele Prädikate auf sich vereinigt und so starke Energien gesammelt, daß es seinen Rang auch dann behaupten würde, wenn man etwa nach bewährtem Muster das Parlament und die zentralen Landesbehörden in die größere Stille und Unbeschwertheit einer kleineren Stadt verlegen würde. Doch sind sein Name, sein Aufstieg und sein Geist noch so repräsentativ und lebendig mit bayerischem Wesen in einer gehobenen Form und mit bayerischer Herrschafts- und Staatsgeschichte verbunden, daß ein solcher Schnitt noch lange nicht möglich wäre. Tatsache ist, daß es heute in Deutschland keine Stadt von vergleichbarem geballten Gewicht in Kultur und Wirtschaft gibt als das schon vergangene »Isarathen«, eine Bedeutung, die es natürlich auch den Folgeerscheinungen des zweiten Weltkrieges, dem Ausscheiden anderer großer Konkurrenten und der Vorläufigkeit des westdeutschen Bundesstaates verdankt. Aber man muß hinzufügen, daß die Münchener schon seit dem 19. Jahrhundert eine zähe und erfolgreiche Stadtpolitik auf das erreichte Ziel hin betrieben und daß sie ein besonderes Geschick gerade darin bewiesen haben, jede Chance zu nützen. Dieses urbane Zentrum von hohen Qualitäten hat seine Eigenart und seinen unverwechselbaren Stil und Charakter entfaltet, unbeirrt und unbeeinflußt von der Tatsache, daß in seinen Mauern die Zentralregierung des Landes saß, das Herzstück des bayerischen Staates verankert war. Die Stadt war immer groß und bereitwillig im Nehmen und Geben, sie gewann dadurch städtebaulich wie kulturell ein europäisches Format und blieb doch bis heute eine »Heimat«, eine Stätte, wo das Herz des Landes besonders stark und lebendig schlägt.

Dieses Buch eines Altbayern, keines Müncheners, will keine eitle Lobrednerei, aber eine ehrliche Huldigung sein; es verheimlicht nicht das große Bedauern, daß die lebendige Anregung dieser Großstadt auf das altbayerische Land zusehends nachläßt, immer mehr auf den »Großraum« München einschrumpft, der ein Siedel- und Wirtschafts-Ballungszentrum in Süddeutschland geworden ist. Es ist getragen von einem engagierten Stolz und Interesse, die dem größten »Monument« bayerischer Gesellschaft und Kultur, dem eindrucksvollen Zentrum der Begegnung Deutschlands und Europas gelten.

Die Bürgerstadt

Gründungsstadt – Stadtherr – Landesherr

An der Wiege Münchens steht die Wirtschaft, seine Paten sind Kloster, Bischof, Herzog, König. München ist keine »Mutterstadt« wie Regensburg, Augsburg, Passau, die es an Alter, ehrwürdigen Monumenten von Geschichte und Kunst, an Kulturtiefe weit überflügeln. München ist eine »Gründungsstadt« wie Würzburg oder Nürnberg, doch fehlt in ihrem Bilde die hochragende Veste, wie die Marienburg zu Würzburg, die dem 7./8. Jahrhundert zugehört, oder die staufische Reichsburg zu Nürnberg mit ihrer romanischen Doppelkapelle, die vor 1050 errichtet wurde. Münchens Geschichte beginnt in einem Dorfe über der Isar; vielleicht war es nicht einmal ein Dorf, sondern mehrere nahe beieinander liegende Höfe, die der Grundherrschaft der Klöster Tegernsee oder Schäftlarn zugehörten. Auf jeden Fall weiß man nichts von einer vorher bestehenden Burg, an die sich die Siedlung angelehnt hätte. Der Name »Zu den Mönchen (ad monachos)« = »München« beweist die Herrschaftsrechte eines Klosters an diesem Ort und zeigt, daß die Welfen genauso wie die Staufer, die es besonders häufig taten, aber auch die späteren Wittelsbacher, ihre Städte auf Kirchenboden gründeten. Nürnberg, Nördlingen, aber auch Straubing, Deggendorf, Landshut sind schlagende Beispiele dafür. Münchens Frühgeschichte ist also vermutlich eingebettet in den Wirkungskreis der weitgreifenden Grundherrschaft des Reichsklosters Tegernsee, seine frühesten Einwohner gehörten der familia = dem abhängigen, unfreien Personalverband eines Klosters an. Der Wandel dieser bäuerlichen Siedlung zu Markt und Stadt wurde eingeleitet durch eine zwangsweise Straßenverlegung an diese Stelle; denn die eine Römerstraße, die noch immer in Benutzung war, kreuzte bei Oberföhring die Isar und vereinigte sich im Westen mit der »Würmtalstraße« von Kempten über Epfach und Gauting nach Augsburg. Die

sehr wichtige römische Fernstraße Salzburg–Gauting–Augsburg erreichte den Münchener Raum überhaupt nicht.
Kaiser Friedrich Barbarossa entschied auf einem Reichstag zu Augsburg am 14. Juni 1158 einen Streit zwischen Bischof Otto von Freising, einem Babenberger, dem größten deutschen Geist des 12. Jahrhunderts, und dem mächtigen Herzog Heinrich dem Löwen, der eben erst (1156) in den Besitz des Herzogtums Bayern gekommen war, allerdings nachdem es kräftig durch die Erhebung der bayerischen Ostmark zum selbständigen Territorialherzogtum verkleinert worden war. In Wien regierte darum der nächste Verwandte des großen Bischofs, Herzog Heinrich Jassmirgott, der bis 1156 Herzog in Bayern gewesen war. Das Schiedurteil bestätigte die Verlegung des Marktes von Oberföhring nach München, ließ die Zerstörung der bischöflichen Brücke zu Oberföhring ungeahndet und verfügte die dauernde Aufhebung von Markt, Münze, Brücke des Freisinger Hochstiftsherrn, des kaiserlichen Onkels. Zur Entschädigung wurde der Bischof zu einem Drittel an den Münz- und Zolleinnahmen beim neuen Markt beteiligt. Bis zum Jahre 1803, bzw. 1852 erhielten Hochstift Freising und dann der Bayerische Staat als dessen Rechtsnachfolger eine pauschale Entschädigung für den Abbruch von Brücke, Zoll und Markt. Die Entscheidung des Kaisers war politisch, nicht rechtlich und entsprach nicht den Prinzipien der gerade von ihm betriebenen Landfriedenspolitik. Daß diese Entscheidung dem Welfen, der auch Herzog in Sachsen war, entgegenkommen und den eben erst wiederhergestellten Frieden nicht gefährden wollte, geht daraus hervor, daß ein Fürstengericht zu Regensburg unter dem Vorsitz des gleichen Kaisers Barbarossa am 13. Juni 1180 auf die wiederholte Klage des Bischofs Albert von Freising die Verlegung des Marktes von Oberföhring nach München wieder rückgängig machte. »München« wird zerstört, Föhring wieder aufgebaut (Schäftlarner Annalen). Das Urteil wurde nicht vollstreckt, sondern derart praktiziert, daß Markt und Brücke zu Oberföhring nicht wiederhergestellt, sondern der Freisinger Bischof bis 1240 Markt-, Brücken-, Zollherr in München wurde. Erst in diesem Jahre ist eine Herrschaft der Wittelsbacher hier bezeugt, denen dies nach harten und langwierigen Auseinandersetzungen gelungen war. Doch konnte der Freisinger Bischof auch darnach noch ansehnliche Rechte in München behaupten, wie den Anteil an Zoll und Münze, das Eigentum an der Münchener Isarbrücke und einen Teil der Stadtgerichtsgefälle. Das sieht fast so aus, als hätte man den Freisinger Diözesan als einen Teil- Markt- oder Stadtherrn in München anerkannt.
Die Anfänge Münchens sind beschattet von der harten politischen Auseinandersetzung zwischen Staufern und Welfen und beginnen mit einem Gewaltakt, der den Landfrieden störte. Da es dem bayerischen Territorialherzog aus dem Hause Wittelsbach seit 1180 erst nach hartem Ringen gelang, sich als Markt- und Stadt-

herr durchzusetzen, muß man fast das erste Jahrhundert seiner Existenz als geistlich-weltlich, als bischöflich-herzoglich bezeichnen. Das aber fällt ganz und gar nicht aus dem Rahmen süddeutsch-bayerischer Stadtentwicklung. Wie uns die Beispiele Regensburg, wo König und Bischof, und Straubing, wo Landesherr und Domkapitel Augsburg gemeinsam Stadtherrn waren, deutlich belegen. Ganz zurecht aber hat München den Mönch im Wappen, weil sein Boden und seine ersten Bewohner klösterliches Eigen und klösterliche Leibeigene gewesen sind.

1–3 Münchner Stadtwappen im Wandel der Zeiten: 1580, 1936, 1957

Die alten Städte Deutschlands und Europas, die bis in die Römer- und Keltenzeit zurückgehen, sind gewachsen; das bedeutet, daß ihr Grundriß uneinheitlich, oft wirr ist und deutlich die Spuren eines meist ungeplanten Wachstums aufweist. Die jüngeren Gründungsstädte, die auf einen Gründerwillen und einen Gründungsakt zurückgehen, sind zumeist geplant und zeigen darum Ordnungsprinzipien in ihrem Grundriß. Als gegründete Stadt hat München eine planmäßige Anlage mit weitgehend einheitlichen Grundstücksgrößen, die um die Ost-West-Achse der hierher umgeleiteten Salzstraße von Reichenhall nach Augsburg aufgebaut ist, die an der Stelle des Marktplatzes erweitert ist. Marktgeschehen und Handelsverkehr auf der wirtschaftlichen Hauptschlagader der Stadt, Münzprägung, Zoll-(Maut-)Erhebung und Mauer sind Grundtatsachen des geschichtlichen Lebens dieser Stadt auf der Schotterterrasse über der Isar. Die Kirche St. Peter und ihr nächster Umkreis, der alte, vermutlich herzogliche Fronhof, dann Residenz »Alter Hof«, die Marienkirche, seit 1271 zweite Pfarrkirche, Zeichen eines starken Bevölkerungszuwachses, sind die Schwerpunkte der Stadt im Zeitalter des »Aufbruchs« unserer europäischen Gesellschaft und Kultur gewesen. Der Raum mit den Grenzstraßen Sparkassenstraße, Hofgraben, Schäffler- und Augustinerstraße, Färbergraben, Rosental und Viktualienmarkt war mit Mauer und Graben umgeben und bis 1896 vom inneren Stadtgraben umflossen; er war nicht größer als 17 Hektar. Die Enge dieser urbanen Siedlung öffnete sich nach außen in fünf Toren, im Osten durch das Niedere oder Untere Tor (1315, Talburgtor, später Ratsturm) im Westen durch das Obere, später Kaufingertor (Chaufringertor = Kaufering; zuletzt Schöner Turm), im Süden durch das Innere oder Sendlingertor, im Norden durch das Vordere und das Hintere Schwabingertor am Ende der heutigen Diener-, bzw. Weinstraße. Keines dieser Tore steht heute mehr; der übrig gebliebene Löwenturm zwischen Rindermarkt und Viktualienmarkt ist vermutlich erst im 16. Jahrhundert als Wasserturm für die Gartenanlagen Herzog Ferdinands des Wartenbergers erbaut worden. Im ganzen ist das Bild der ältesten Stadt noch optisch-kartographisch zu erfassen.
München hatte im ersten Jahrhundert seines Bestehens im wesentlichen eine wirtschafts-fiskalische Funktion als nichtagrarische Händler-, Transportleute-, Verkehrs- und Marktsiedlung und als Verwaltungszentrum im geplanten und geförderten Ausbau eines welfischen und wittelsbachischen Territorialstaates. Als »civitas«-Stadt erscheint es erstmals um 1210, aber in den Händen des Stadtherrn, der die Siedlung durch einen Beamten mit richterlichen Kompetenzen (iudex: 1170, 1210) regierte, ist es erst 1240 bezeugt. Der Stadtrichter war im Auftrag des Stadtherrn auch das Oberhaupt der Bürgergemeinde, die 1239 erstmals handelnd auftrat und ihr Stadtsiegel neben das des Stadtrichters an eine

4 Die topographische Struktur der Stadt innerhalb des Altstadtrings

5–6 Münchner Stadtsiegel: zweites Stadtsiegel 1268–1302, fünftes Stadtsiegel 1323–1356

Urkunde hing. Dieses Zeichen einer gewissen Selbstverwaltung zeigt den Mönchskopf mit Gugel unter dem Stadttor, darüber aber einen Adler mit ausgebreiteten Flügeln, dessen Bedeutung umstritten ist. Da der wittelsbachische Landesherr erst ein Jahr darauf als Stadtherr belegt wird, muß man wohl auch den »Reichsadler« als Möglichkeit der Deutung offenlassen; denn in Franken erscheinen um dieselbe Zeit auch einige Städte wie Ansbach in der Reihe staufischer Reichsstädte, ohne je später in diese Rangstufe aufzusteigen; es waren dies die Zeiten der Auseinandersetzung zwischen Kaiser und Papst und der Wirksamkeit des päpstlichen Legaten Albert Beham (Passau), der 1240 die Bischöfe von Würzburg und Eichstätt beauftragte, den Kirchenbann über Donauwörth, Lauingen, Nördlingen und andere auszusprechen, weil sie dem Kaiser Truppen nach Italien gesandt hatten. In Ansbach hatten die Staufer die Vogtei über das Stift St. Gumbertus, das würzburgisches Eigenkloster war, und erweiterten diese zur Stadtherrschaft. In München war der Bischof von Freising Markt- und Stadtherr und der Boden gehörte vermutlich dem Reichskloster Tegernsee. Man kann jedenfalls diese Möglichkeit einer Deutung des Adlers im Münchener Bürgersiegel von 1239 in Rechnung stellen. Erst 1313 ist der Adler durch den Löwen ersetzt, den die Wittelsbacher, seit 1214 auch Inhaber der vorher welfischen Pfalzgrafschaft bei Rhein, von der Pfalzgrafschaft in ihr Wappen übernommen haben. Der bayerische Löwe ist ein welfischer Löwe und das schöne bayerische Rautenwappen ist von den bald nach 1240 ausgestorbenen Grafen von Bogen übernommen, deren Rodungsgebiete, Altherrschaften und Klostervogteien die bayerischen Landesherren durch Heirat und Heimfall gewannen. Während wir in Regensburg, Augsburg und Nürnberg bereits um die Mitte des 13. Jahrhunderts einen Rat der Stadt vorfinden, ist in München diese Einrichtung der Selbstverwaltung erst 1289 bezeugt kurz vor der Handfeste Herzog Rudolfs I. von 1294, in der das älteste Stadtrecht von München niedergelegt ist; dieses gewährte weitgehende »Freiheiten« wie das Vorschlagsrecht des Stadtrichters, des stadtherrlichen Oberhauptes der Stadt, und das Niedergericht. Es fallen viele Parallelen zu dem Recht der von den Herzögen von Andechs-Meranien 1180 gegründeten Stadt Innsbruck auf. Der Stadtrichter entsprach den Reichsschultheißen in den staufischen Königsstädten (Regensburg, Nürnberg) oder dem Kämmerer in den niederbayerischen Städten der Wittelsbacher. Das Oberhaupt der Stadt amtierte im Rechts- oder Dinghaus mitten am Markt; daneben trat der »Bürger Hofstatt« = Rathaus am Taltor, das 1311 erstmals bezeugt ist. Eine entwickelte Ratsverfassung mit drei Kollegien, einem inneren (12) und einem äußeren (24) Rat sowie einem Bürgerausschuß der Gemeinde (36) stellen wir zu 1317/18 fest.

Daß das bürgerlich-wirtschaftliche Element in der jungen Stadt an der Isar im 13. Jahrhundert und im sogenannten Spätmittelalter bestimmend blieb, hängt nicht nur mit der allgemeinen Entwicklung von Stadt und Bürgertum im deutschen Raum zusammen, sondern mit den wirtschaftlich-fiskalischen Absichten seiner Gründung, mit der langewährenden Finanzschwäche der Landesherren in Deutschland und Bayern, deren Hauptgeldgeber die Städte waren, und mit der allmählichen Festigung der Landesherrschaft und der Entwicklung dauernder Residenzen. Die Landesteilungen haben zwar die Landesherren in besonderem Maße von Landständen und Bürgern finanziell abhängig gemacht, doch haben sie auch die Entfaltung einzelner Städte als herzogliche Hofhaltungen und Residenzen begünstigt. Bei der Teilung des bayerischen Territoriums von 1255 in Ober- und Niederbayern fiel zwar der Isarstadt eine zentrale Herrschaftsfunktion als Vorort von Oberbayern (des oberen Landes) zu, doch hielten sich die Landesherren auch in Dachau und Wolfratshausen, Neuburg/Donau, und Donauwörth auf. Ein ständiges »Hoflager« aber richteten erst die herzoglichen Brüder Rudolf I. (1294–1317) und Ludwig der Bayer (1294–1347) ein. Ihre erste Burg (castrum 1319) war der »Alte Hof« an der Nordostecke der Welfenstadt innerhalb der alten Stadtmauer; charakteristisch war wie anderswo ihre Randstellung an einer Ecke, Spornlage oder Ausfallsposition.

Offenbar nahm die Stadt einen kraftvollen Aufschwung, seitdem die Wittelsbacher sich als Stadtherrn voll durchgesetzt hatten. Seit der Mitte des 13. Jahr-

7 Der Alte Hof, älteste Burg des Stadt- und Landesherrn in der Nordecke des ältesten Mauerrings. Aquarell von C. Lebschée 1869

hunderts wurde das suburbium – Vorstadt entlang der östlichen Salzstraße gegen die Isarbrücke – das Tal in den Mauerring einbezogen. Um 1310 erreichte die Stadtmauer schon die Spannweite, die sie bis zur Auflassung der Befestigungswerke 1791 beibehielt. Der starke Bevölkerungszuwachs machte die Einrichtung neuer Pfarreien für die Seelsorge nötig (1271 Liebfrauen, Heiliggeistspital). Der wirtschaftliche Aufschwung dieser Stadt ist auch an der frühen und starken Judengemeinde abzulesen, deren Wohnviertel an der Stadtmauer hinter dem Marktplatz (Gruftgasse) lag. Ungefähr um die gleiche Zeit wie in Nürnberg entluden sich die wirtschaftlichen und religiösen Spannungen in einem Judenpogrom 1285, das 150 Juden das Leben kostete, die man in der Synagoge verbrannte. Sicher haben Stadtherr und der erst 1289 bezeugte, in den führenden Familien schon vorher wirkende Rat diese Erregung der handwerklich-bäuerlichen Schichten niedergeschlagen; so war es wenigstens in Nürnberg, und in München wurden die Juden endgültig erst 1442 aus der Stadt verbannt, nachdem sie noch 1416 einen eigenen Friedhof am Rennweg gegen Moosach (Löwenbräukeller) zugewiesen erhalten hatten. Daß auch in dieser Stadt eine neue geistige Bewegung lebendig war, die der Lenkung bedurfte und nach weiterer Bildung verlangte, kommt in den Gründungen eines Franziskaner-, Augustiner- und Clarissinnenklosters und im späteren Auftreten von Beghinen zum Ausdruck. Die Predigt und die wirksamere Seelsorge der Bettelmönche kamen den religiösen Bedürfnissen der neuen bürgerlichen Mittelschicht mehr entgegen als die der alten Prälatenklöster. Daß letztere aber sich Absteigequartiere auf Hofstätten (areae) in der Stadt errichteten, belegt die zunehmende wirtschaftliche und herrschaftliche Zentralfunktion der Stadt.

Daß Salz eine Hauptware dieses Lokalmarktes und dieser Fernhandelsstätte war, bezeugt das 1244 den Münchenern in Salzburg, 1280 aber für das ganze Reich gewährte Privileg der Handelsfreiheiten im Umfang der Regensburger Kaufleute (Modellcharakter). München war tatsächlich am Ende des 13. Jahrhunderts die volkreichste steuer-(finanz-)kräftigste unter allen wittelsbachischen Landstädten, und rangierte weit vor der zweitgrößten Stadt des Landes Ingolstadt, die dann auch Hof- und Residenzmittelpunkt seit dem 14. Jahrhundert wurde. Das Judenpogrom von 1285, der erste Beleg von 1289 für einen städtischen Rat, die Rudolfinische Handfeste (Stadtrecht) von 1294 mit ihren weitgehenden Zugeständnissen an den Rat (Abhängigkeit von den Ratsbeschlüssen) sind so gehäufte und zeitnahe Zeugnisse für das Erstarken eines bürgerlichen Regiments und die Wirtschafts- und Finanzkraft dieser händlerisch-handwerklichen Comune, daß man den Ausbruch ihrer Empörung gegen den Stadtherrn 1295 sehr wohl begreift, der durch die Errichtung einer Münze neben dem herzoglichen Dinghaus auf dem Markte sie monetär-fiskalisch unter seine Botmäßigkeit zwingen wollte. Sie zerstören die Münze, werden zwar zu einer Geldstrafe verurteilt, setzen aber durch, daß die Münzwerkstätte nicht mehr aufgebaut wird, deren Schlagschatz in die Tasche Herzog Rudolfs I. geflossen wäre und dem Münchener Pfennig Eintrag gemacht hätte. Fernhändler und Kramer (Lokalmarkt), Handwerker, Fuhrleute und Transportlader, Arbeiter und Taglöhner, vielleicht einige Bauern (Siedlung Altheim?) stellen das Gros der Stadtbevölkerung dar. Es bildete sich eine führende Schicht im Patriziat seit dem letzten Drittel des 13. Jahrhunderts aus; wie weit ministerialische Elemente an dessen Ausbildung beteiligt sind, ist mangels eingehender Forschung für München nicht zu sagen. Stadtrichter und Kastner vertreten Willen und Interesse des landesherrlichen Stadtherrn; der Stadtrichter aber ist auch an die Mitwirkung des Rates und der Bürgerschaft gebunden.

Wachstum und europäische Bedeutung der Stadt unter Kaiser Ludwig dem Bayern

Das weitere räumliche Wachstum der Stadt München wurde zwar unter Kaiser Ludwig dem Bayern 1337 für ein halbes Jahrtausend abgeschlossen, begann aber schon in den siebziger Jahren des 13. Jahrhunderts. Die älteste Stadtrechnung von 1318 setzt einen neuen äußeren Mauerring bereits voraus, der bewehrt war vom Schwabinger-, Neuhauser-, äußerem Sendlinger-, Anger-, Schiffer- (beim Heilig-Geist-Bad), Taltor (am Kaltenbach) und (1337) Isartor. Bis zur Aufhebung der Stadtbefestigung am Ende des 18. Jahrhunderts waren Neuhauser-, Schwabinger-, Isar- und Sendlingertor die vier Haupteingänge der Stadt, die heute noch den Altstadtring markieren; Anger-, Schiffer- und Posttor erhielten sich als drei Nebeneinlässe. Die Herzogs- und Residenzstadt im eigentlichen Sinn erhielt später das Neuvesttor bei der neuen Herzogsburg und am Ausgang der Maxburg das »Herzogenstadttor«. Die neue Stadtmauer schloß die Mendikantenklöster: St. Jakob am Anger (Franziskaner 1221/22, Clarissen seit 1284), die Franziskaner am heutigen Max-Josefplatz vor dem Nationaltheater (1284), die Augustiner (1294) und das Heilig-Geist-Spital sowie die Siedlung Altheim (Altheimer Eck) ein. Das Stadtgebiet hatte sich gegenüber der alten Welfensiedlung um das Sechsfache vergrößert (90 ha). Die älteste Stadt, Wohnstätte der Patrizier und Ratsfamilien, wahrte bis in das 15./16. Jahrhundert ihr wirtschaftliches und gesellschaftliches Übergewicht gegenüber der äußeren Neustadt. Das städtische

8 *Franziskanerkloster um 1805. Aquarell von F. Perlberg*

9 *(S. 23) Kaiser Ludwig der Bayer. Marmorplastik am Kaisergrab in der Frauenkirche (um 1470)*

Hoheitsgebiet, der sogenannte »Burgfrieden« griff über die neue Stadtmauer hinaus und umfaßte ein Gebiet zwischen Isartalbahnhof und Nikolaiplatz in Schwabing, zwischen Theresienwiese und Gasteig bzw. Rosenheimerplatz. Die Verteidigung der Stadt leisteten die Bürger, die zu diesem Zweck in vier Stadtviertel eingeteilt waren (seit dem 15. Jhdt. Anger-, Hacken-, Kreuz-, Graggenauer-, Talviertel). Zwei capitanei-Hauptleute aus dem Rat befehligten die Bürgerwehr der einzelnen Viertel.

Parallel zur Stadtausdehnung erreichte auch das bürgerliche Stadtregiment einen ersten Höhepunkt unter dem landesherrlichen Wittelsbacherkaiser, der nicht nur seine Hofburg, sondern auch andere Städte wie sein Nachfolger Karl IV. sehr gefördert hat. Das Kaisertum ihres Landesherrn brachte der Stadt eine weihevolle Rangerhöhung durch die Aufbewahrung der Reichskleinodien in der Kapelle des Alten Hofes 1324–1350, von der uns die Chronik des Prämonstratensermönches von Fürstenfeld berichtet. Die Stadt, die des »richs hayltum« barg, übernahm auch bis heute die Farben des Reiches Schwarz und Gold. Ohne des Reiches Hauptstadt zu sein, gab die europaweite Politik dieses Herrschers dieser Comune ein großes Gewicht als Propagandazentrum gegen das avignonesische Papsttum, wovon unten noch die Rede sein wird. Sie wurde auch die Grablege des Kaisers (1347), der als erster Wittelsbacher hier bestattet wurde; seine Ahnen waren im wittelsbachischen Hauskloster Scheyern und in Fürstenfeld beerdigt worden. Über dem Kaisergrab in der Frauenkirche errichtete Herzog Albrecht IV. um 1500 einen Rotmarmorstein mit dem thronenden Herrscher, und Kurfürst Maximilian I. ließ über der Grabplatte 1622 ein Trauermal im Stil der Hochrenaissance bauen, das noch heute viele Bewunderer in den Dom lockt. Ist Regensburg Grablege der späten ostfränkischen Karolinger sowie der jüngeren Stammesherzoge und die Abteikirche von St. Emmeram mit der ehedem angebauten Kaiserpfalz ein Denkmal karolingischer Reichsidee, so das Münchener Grabmal Kaiser Ludwigs ein Monument wittelsbachischer Reichs- und Herrschaftsgesinnung. Die Bürgerschaft der Stadt bot dem Herrscher starke Unterstützung; er hat dafür ihre Wirtschaft und ihre Rechtsstellung durch zahlreiche »Freiheiten« entscheidend gefördert. Er gewährte den Münchenern Schutz im ganzen Reich und sicheres Geleit für alle Kaufleute im Stadtgebiet, was den Handels- und Stapelrechtscharakter Münchens hob. Im gleichen Jahr 1315 errichtete er die Marktfreiheit, d. h. er verbot jegliche Überbebauung des Marktes für alle Zeiten. Seitdem stehen die Fleischbänke bis heute unterhalb der Peterskirche vor dem Taltor. Trotz seines Einverständnisses zur Verlegung weg vom Markt blieb das Ding- und Rechtshaus, Zeichen der Stadtherrschaft und »Halbfreiheit« der Stadt, bis 1481 noch am Platze. Das Stadtregiment verstärkte er 1330 und 1342 durch die Betrauung mit der Gewerbe- und Baupolizei. Bis zum Ende der alten Stadthoheit um 1800

blieb das zwar ergänzte, aber in Grundzügen erhaltene »Stadtrecht Ludwig des Bayern« von 1340 in Kraft. Seit dem 16. Jahrhundert überlagerte das Landrecht diese einzige umfassende Kodifikation des Stadtrechts von München. Der kaiserliche Stadtherr förderte vor allem den dominierenden Salzhandel durch die Goldbulle von 1332; er gab den Salzsendern ein Salzmonopol, gewährte Stapelrecht und Wegezwang, wodurch er die Stadt zu einer Metropole des Salzhandels in Bayern machte. Alles Salz von Reichenhall und Hallein sollte zwischen dem Gebirge und Landshut nur in München über die Isar gebracht werden; das gab den Münchener Salzsendern ein Monopol der Salzeinfuhr, des Salzhandels und des Salzstapels in der Stadt vor dem Weitertransport. Dieser Handel spielte sich auf dem Salzmarkt an der Kreuzgasse, dem heutigen Promenadeplatz ab, wo der Rat 1406 drei große Salzstädel erbauen ließ. Das Salzmonopol war bis zum Ende des Alten Reiches die Haupteinnahmequelle des absolutistischen Fürstenstaates Bayern. Es war eine Folge des Kaisertums ihres wittelsbachischen Stadt- und Landesherrn, daß sich München bis 1641 (Kaiser Ferdinand) sein Recht und seine Freiheiten durch jeden Kaiser neu bestätigen ließ, eine Übung, die für eine landständische Stadt höchst ungewöhnlich war und deshalb auch vom frühabsolutistischen Kurfürsten Maximilian I. unterbunden wurde.
Internationale Bedeutung erlangte die aufblühende Handels- und Bürgerstadt als »Residenz« des Wittelsbacher Kaisers, der hier den großen Geistern seiner Zeit auf der Flucht vor dem Papsttum zu Avignon am »Alten Hof«, seiner Burg und im Franziskanerkloster auf dem Platz vor dem heutigen Nationaltheater ein Asyl bot und sie als Propagandisten im Kampf gegen das ihm feindliche Papsttum »in der babylonischen Gefangenschaft« einsetzte. In diesem Emigranten- und Propagandazentrum Europas wurden Gedanken entwickelt und Schriften geschrieben, die die kirchliche Bewegung des Konziliarismus entfachten und der mündigen Laienwelt ein neues Gesellschaftsideal anboten. Man hat diese Emigranten die »geistliche Hofakademie« Ludwigs des Bayern genannt. Hier lebten und schrieben von 1328/29 bis 1348/49 geschützt vor den Häschern der Inquisition der englische Minorit William Occam, der General der franziskanischen Fratizellenbewegung Michael von Cesena und sein Ordensprokurator Bonagratia von Bergamo, der 1326 auf dem Ordenskapitel der Minoriten zu Konstanz abgesetze Provinzial Heinrich von Talheim, der 1328/29 kaiserlicher Kanzler war und nach 1330 zusammen mit Heinrich dem Preisinger die oberitalienische Politik des Herrschers leitete; hier an der Herzogsburg wohnte auch der berühmte Marsilius von Padua, dessen Freund Johann von Jandun, wie Marsilius Pariser Magister, auf dem Wege nach München in Todi gestorben war. Die Stadt an der Isar wurde durch diese überragenden Publizisten, Politologen und Theologen mindestens im Jahrzehnt von 1330 bis 1340 neben Paris und Oxford ein

ebenbürtiger Antipode im letzten geistigen und politischen Ringen zwischen Kaiser und Papst, Kirche und Staat um die Herrschaft in der Welt, um die Vergeistigung des christlichen Lebens und der kirchlichen Institutionen; diese Stadt des entschiedensten gegenreformatorischen Widerstandes des Katholizismus in Deutschland war im 14. Jahrhundert eine entscheidende Aufbruchstätte auf dem Wege zur Reformation. Man kann diese Bedeutung von heute aus nur dann richtig ermessen, wenn man weiß, daß sich alle geistige Bewegung damals zwischen Kirche und Welt, Herrschaft und Kirche vollzog. Der Kaiser konnte sich im Kampfe gegen seinen grimmigen Gegner Papst Johannes XXII. († 1334) der geistigen Waffen dieser Gewaltigen bedienen, die bedingungslos auf seiner Seite standen, weil sie den Papst als Haeretiker und Schismatiker verurteilten und ohne Frieden mit der Kirche aus der Welt schieden. Ihr Ziel war es, die plenitudo potestatis = die souveräne Vollgewalt des Papstes zu widerlegen, weltliche und geistliche Macht zu scheiden, die Vorherrschaft des Staates über die Kirche um des »Allgemeinen Besten« willen (bonum comune) zu begründen, ja sogar einem »Staatskirchentum« im Sinne Ludwigs des Bayern die Wege zu ebnen. Es waren ja die direkten Nachfahren des Kaisers in München-Oberbayern, besonders Albrecht III., die schon im vorreformatorischen Jahrhundert eine so starke »Landeskirchenherrschaft« aufbauten, daß sie allein in der starken reformatorischen Bewegung ihres Territoriums die ausschließliche Katholizität ihres Landes durchsetzen konnten; sie schufen damit zugleich ein Modell für das Landeskirchenregiment der evangelischen Fürsten.

Marsilius von Padua brachte an den Hof in München die Gedanken seines »Defensor Pacis« mit, seine Auffassung von der Unterordnung der Kirche unter den Staat, von der gesetzgebenden Gewalt und Machtvollkommenheit des Herrschers, sein Modell von der *weltlichen Gesellschaft,* in der die Kleriker nur ein Berufstand neben anderen sind und nur in den heiligen Handlungen ein Sonderrecht genießen. Die »Politik« des Aristoteles war seine Quelle, er selber der »christliche Aristoteles«, der seiner Zeit ein neues weltliches Gesellschaftsmodell gab. Der Geistesriese William Occam, der im Jahrhundert der Entdeckung der kopernikanischen Weltanschauung für hundert Jahre die Wissenschaft beherrschte, hat all die Gedanken vorgedacht, die die Konziliare Bewegung in Gang brachten, die im erregtesten Jahrhundert der Kirchengeschichte die alleinige Autorität des Papstes in Zweifel zog und neben ihn als bestimmende Kraft das Konzil, die Repräsentation der Gesamtkirche, setzte. Dieser »erste und größte Philosoph der Neuzeit« hat von 1329/30 bis zu seinem Tode 1349 im Münchener Franziskanerkloster gelebt und geforscht und wurde in dessen Kirche auch bestattet. Sein hartnäckiger Gegner Konrad von Megenberg saß als Domherr in Regensburg, ein konservativ-legitimistischer, fränkisch-bayerischer Kurialist und Ideologe, dessen Sorge um die Zwietracht zwischen Kaiser und Papst echt und patriotisch, aber himmelweit von dem unkonventionell freien, spekulativen und schöpferischen Geist des englischen Bettelmönches verschieden war. In den verhaßten Bettelmönchen aber sah der konservative Denker Konrad die Urheber des Radikalismus in der bürgerlichen Welt, deren Predigt die alte Gesellschaft aufschreckte und das Volk in den Städten mobilisierte.

Occam und Marsilius bezeichnen den Anfang einer großen geistigen Bewegung, aus der Humanismus und Renaissance erst herauswuchsen, in der Christliches und Nichtchristliches, Weltliches und Kirchliches, Universales und Nationales, kurz alle Bereiche erfaßt und einander angepaßt wurden. Dieser tiefgehende geistige Prozeß fiel zusammen mit dem Niedergang des Kaisertums und Papsttums, der beiden degradierten universal-hegemonialen Mächte, fiel zusammen mit dem Aufstieg der nationalen Monarchien, einem gesellschaftlichen Wandel in Stadt und Land, dem ersten Sieg der Geldwirtschaft, dem Aufblühen einer neuen Kunst und Literatur und eines gesteigerten wissenschaftlichen Erkenntnisdranges. Occams Theologie hat in diesem Prozeß dadurch zersetzend gewirkt, daß sie offen war und Wege der Entscheidung frei ließ. Michael von Cesena, Bonagratia und andere italienische und deutsche Minoriten leiteten Propaganda, Publizistik, Politik des Kaisers in der Münchener »Kanzlei«, entwarfen die großen Briefe, koordinierten die Nachrichtenverbreitung, bearbeiteten juristische Fälle, bereiteten Prozesse vor und verfaßten Programm- und Streitschriften. Die zwei Jahrzehnte von 1329 bis 1349 waren die erste große Stunde in Münchens Geschichtsablauf. Dabei zeigte sich eine besondere Eigenart dieser Stadt bis heute, ihre Aufnahmebereitschaft für fremde Anregung und fremden Geist, aber auch ihre schöpferische Kraft der Umwandlung des Übernommenen in eine neue genuine Form. Damals war es Mittelpunkt des Forschens und Stätte neuer Erkenntnisse wie wenig andere Zentren, Pflegestätte einer neuen geistigen Bewegung aus kirchlich-religiösen wie weltlich-laikalen Wurzeln, an der die Vorkämpfer der radikalen Franziskaner ebenso beteiligt waren wie die Universitäten Paris, Oxford, Padua, Bologna. München stand seit dem 13. Jahrhundert in einem franziskanischen Raum, dessen Mittelpunkte Augsburg und Regensburg waren, wo die großen Massenprediger David und vor allem Berthold das Volk erschütterten und die bürgerlich-bäuerliche Welt der alten Kirche zurückgewannen. Das Land draußen beherrschten religiös und geistig zum großen Teil die grundherrlichen Benediktiner und die anderen Prälatenorden benediktinischer Provenienz. Die Franziskaner des Antoniusklosters zu München waren mit Marsilius zusammen die Träger des großen geistigen Fortschritts jener Tage in Deutschland und Europa. In der Geschichte der entwickelten Residenzstadt wiederholte sich dies im 18. wie im 19. Jahrhundert.

Die bürgerliche Hochblüte der Stadt im 15. Jahrhundert

In dem mächtig-geschlossenen und kaum durch Zierat geschmückten Baukörper der Frauenkirche hat sich das Bürgertum von München in der Zeit seiner Hochblüte ein exemplarisches Denkmal seines Geistes und typisch süddeutscher Art geschaffen. Die Bürger trugen die Baulast und bestimmten den Charakter ihrer Kirche, obwohl Herzog Sigmund 1468 den Grundstein gelegt hat und Herzog Albrecht der Weise der 1494 geweihten Liebfrauenkirche ein Kollegiatstift anschloß, das er mit den Einnahmen der aufgehobenen Stifte von Schliersee und Ilmmünster ausstattete. Der Architekt Jörg von Polling (Halspach?) war Ratsmaurermeister. Wenn man »Sinn für das Erdenfeste, Einfach-Tüchtige, Dauerhafte, Kernhaft-Wuchtige« im Aufbau des Kircheninnern ausgeprägt fand, dann scheint das menschliche Wesen der Bürger dieser Stadt in diesem Bauwerk seinen unverfälschtesten Ausdruck gefunden zu haben. Die großartig schlichte Frauenkirche zeugt für das bürgerliche München und es ist symbolisch, daß sie das eigentliche Wahrzeichen der Stadt bis heute geblieben ist und alle Baudenkmäler der großen fürstlichen Epoche dieses Gemeinwesens hoch überragt, die gegenreformatorische Spätrenaissance, Hochbarock und Rokoko, den ludovizianischen Klassizismus des 19. Jahrhunderts. München galt im Zeitalter dieses Kirchenbaues als eine der schmucksten Städte Deutschlands, vor allem wegen der vielen, farbensatten Fresken an seinen Türmen und Häusern. Man kann sich eine Vorstellung von der verschwundenen Pracht in der Ausmalung der Würmtalkirche zu Pipping heute noch machen, in der sich der aus Krakau eingewanderte spätere Stadtmaler von München Jan Pollack verewigt hat. Erasmus Grasser, der größte Bildhauer Münchens, hat in einer Kreuzigungsgruppe seine bedeutendste Plastik zur Kirche beigesteuert. Die Kirchen von Pipping und Blutenburg geben zusammen mit der Frauenkirche einen Gesamteindruck von der gewachsenen Einheit der Münchener und der bayerischen Spätgotik, sie zeugen auch schon sehr früh von den vielfachen Wechselbeziehungen zwischen Stadt und Umland, die man bis in unsere Tage herein immer wieder begeistert gerühmt hat.

Das 15. Jahrhundert ist das eigentliche »bürgerliche« Jahrhundert dieser Stadt, damals erlebten Wirtschaft, Handel und Gewerbe ihren größten Aufstieg und der bürgerliche Kunstwille feierte seine ersten Triumphe. Ein Halbjahrhundert der Unruhe und sozialen Spannungen zwischen den alten führenden Geschlechtern und den aus bestimmten Zünften aufsteigenden Neureichen, die auch mit-

Monacum

10 Das spätmittelalterliche München in Schedels Weltchronik 1493

regieren wollten, war dem Tode Ludwigs des Bayern gefolgt. Landesteilungen schwächten die politische und finanzielle Kraft des Territoriums, der ständig wachsende Geldbedarf der Fürsten drückte auf die Untertanen. Damals errichteten die Münchener Herzöge in der Nordwestecke die wasserumflossene Zwingburg der »Neufeste« (1385 begonnen) auf dem Areal der heutigen Residenz und als Auftakt zu ihrem späteren weitläufigen Ausbau. Sie lag außerhalb der Stadtmauer und wurde erst zwischen 1490 und 1500 in den Befestigungsring eingefügt. Die Landesherren hatten 1392 ihr Herzogtum in drei Teile mit den Residenzen München, Landshut und Ingolstadt aufgespalten. Kurze Zeit darnach (1397/98) entbrannte ein harter Kampf zwischen den alten Geschlechtern und den auch von Patriziern geführten Handwerkern der Stadt. Ihr Zusammenschluß im »Rat der Dreihundert« brachte ihnen für kurze Zeit die Macht in der Stadt. Doch kämpfte er nach zwei Fronten, gegen die militärische Überlegenheit des Landesfürsten wie auch gegen die finanzielle Kraft der vertriebenen und enteigneten alten Geschlechter. Schon 1403 brach diese dreihundertköpfige Ratsherrschaft zusammen, Patrizier und Bürgergemeinde einigten sich auf den Kompromiß des sogenannten »Wahlbriefes« von 1403, der bis zum Ende des 18. Jahrhunderts das eigentliche Grundgesetz der Stadt blieb. Der Herzog hatte dabei kräftig mitgewirkt. Das patrizische Stadtregiment kehrte wieder, doch war es durch die Bindung an Rechte des äußeren Rates und der Bürgergemeinde gemäßigt und beschränkt. Die Comune fand so ein ausgewogenes Verhältnis ihrer gesellschaftlichen und wirtschaftlichen Kräfte und konnte sich unter dem Schutz des Landes- und Stadtherrn so frei und selbständig entwickeln, daß mit Ausnahme der Erbhuldigung für jeden neuen Fürsten, der jährlichen Bestätigung des inneren Rates durch ihn und seines Treueids auf ihn, mit Ausnahme der Stadtsteuer, bestimmter Kriegsdienste und der Blutbannleihe an den Stadtrichter, der Rat das Stadtregiment weitgehend selbständig handhaben konnte. Doch blieb München eine landständische Stadt, wenn auch die vornehmste unter den Städten des Territoriums.

München war eine Stadt mittlerer Größe in jener Zeit wie Basel, Trier, Stettin Frankfurt; es hatte am Ende des 15. Jahrhunderts eine Bevölkerung von ungefähr 13 500 Einwohnern. Dieser Ort mit herrschaftlicher wie wirtschaftlicher Zentralfunktion war Lokalmarkt für die nähere Umgebung, Regionalmarkt für das oberbayerische Getreide, Fernhandelszentrum für den Transitwarenverkehr. Diese Funktionen haben den Reichtum der Stadt gemehrt und eine besitzmächtige Spitze in der bürgerlichen Gesellschaft entstehen lassen. Man darf

11 Der »Schöne Turm« am Kaufingertor um 1880, Teil des ältesten Stadtrings. Aquarell von L. Huber

freilich nicht übersehen, daß München wirtschaftlich im Schatten des aufstrebenden Augsburg und des sich seit dem 15. Jahrhundert kaum mehr auf der alten Höhe haltenden Regensburg stand. Mit den Bürgern beider Handels- und Geldmetropolen stand die Isarstadt in enger Beziehung, wozu auch noch Nürnberg kam. Der Nordsüdverkehr konzentrierte sich immer mehr auf das reiche Augsburg, das den Italienhandel auf der alten Römerstraße über den Reschenscheideckpaß und den Vintschgau, aber auch den über Mittenwald, Zirlerpaß und Brenner an sich zog; für München war der Ostwesthandel von Wien und Salzburg nach Augsburg entscheidender. Salz, Wein, Tuche, Venedigware waren die Hauptgegenstände des Münchener Fernhandels und die Beteiligung am Abbau des Bergsegens wurde, wie das Beispiel der Fugger zeigt, im 15./16. Jahrhundert eine besondere Chance für den frühen »Kapitalismus«. Als die Venetianer 1487 ihren Markt von Bozen nach Mittenwald verlegten, da nutzten der Landesherr und das Münchener Patriziat die günstige Gelegenheit, um den Anschluß an die Nord-Südlinie noch zu verstärken. Herzog Albrecht IV. gab dem Münchener Patrizier Heinrich Barth den Auftrag, die Kesselbergstraße (1492) auszubauen; dadurch wurde die Verbindung über Wolfratshausen und Benediktbeuren wesentlich verbessert und beschleunigt. In dieselbe Richtung wies der wirtschaftlich bedeutsame Floßverkehr auf der Isar, dessen Ausgangspunkte Mittenwald, Lenggries und Tölz waren. Auf dem Flusse wurden Kalk, Holzkohle, Eisen und Wein, Produkte des Voralpenlandes und Gebirges befördert, auf ihm verfrachteten die Regensburger Kaufleute den Südtiroler Wein von Mittenwald bis Landshut. München war damals keine »Bierstadt«, seine Bürger tranken Wein; fast alle oberbayerischen Klöster hatten im Etschland zwischen Meran und Bozen Weinberge. Das Stapelrecht der Münchener zwang jeden Floßunternehmer, sein Gefährt drei Tage an der Isarlände der Stadt liegen zu lassen und zum Kauf anzubieten, sofern es nicht schon vorher bestellt oder bereits veräußert war. Zum erstenmal wird die Münchener Getreideschranne 1323 erwähnt; sie wurde zum Hauptumschlagplatz für das oberbayerische Getreide. Die 1311 genannte »offen gefreite Jahrmesse« = Münchener »Dult« hatte früher eine große Bedeutung als Regional- und Transitmarkt. Den »internationalen« Charakter der Jakobidult beförderte und unterstrich die von Herzog Albrecht IV. 1507 eingerichtete Geldwechselbank, die den Umtausch der fremden Valuten-Geldsorten erleichtern und den Warenumsatz ausdehnen sollte. Der stetig wachsende Reichtum der Münchener Patrizier drängte nach sicheren Anlagemöglichkeiten für das Kapital und zugleich nach einem gesellschaftlich gehobenen Lebensstandard und Prestige. Beides erreichten sie zugleich durch den Erwerb adeliger Landsitze und Hofmarken in der weiteren Umgebung der Stadt seit der Wende vom 15./16. Jahrhundert. Ihrem politischen und herrschaftlichen Willen ließen diese reichen Bürger Ausdruck verleihen durch drei große Meister, von denen oben schon die Rede war, Jörg von Polling, genannt Ganghofer, Jan Pollack und Erasmus Grasser, den großen Bildschnitzer. Jörg Ganghofer schuf das Rathaus (1470–1480) als politisches Zentrum, Grasser stellte dorthinein seine »Moriskentänzer«. Der sakrale und geistliche Mittelpunkt dieser Comune aber wurde die Frauenkirche (1468–1488), deren Einweihung (1494) am Ende dieser Epoche stand.

Die fürstliche Residenzstadt von der Reformation bis zur Aufklärung

Der Weg Münchens zur »Fürstlichen Hauptstadt« (1575) im Zeitalter der konfessionellen Bewegungen und Kriege

Drei Tatsachen haben den glückhaften Aufstieg Münchens zur Fürstlichen (1575), Kurfürstlichen Haupt- (1624) und Residenzstadt (1638) eingeleitet. Herzog Albrecht IV. bemühte sich zuerst in den 80er Jahren des 15. Jahrhunderts, das von seiner Höhe schon herabgestiegene Regensburg zur Hauptstadt seines Landes zu machen, er wollte sogar die erst 1472 gegründete Universität Ingolstadt durch eine neue in der großen Donaumetropole ausflankieren oder diese dorthin abziehen: Das gelang nicht, da Kaiser Friedrich III. und sein Sohn Maximilian I. den Abzug des Herzogs und die Herausgabe der Stadt erzwangen (1492). Regensburg, wo der seit dem Beginn des 13. Jahrhunderts als kaiserlicher Burggraf wirkende bayerische Herzog bereits den Bau eines Schlosses betrieb, blieb zu seinem Schaden bis zum Ende des Alten Reiches Reichsstadt und somit autonomer Reichsstand und sank dann vollends zur bayerischen Mittelstadt herab, während die Haupt- und Residenzstadt München zur Landeshauptstadt des modernen bayerischen Staates und Königreichs aufstieg. Man könnte es auch so sagen: Regensburg bewahrte seine »Freiheit« und sank herab, München verlor seine bürgerliche »Freiheit« und stieg auf. Tücke eines unvorhersehbaren Schicksals, aber auch Folge eines nicht immer selbstgewählten historischen Prozesses. Es erscheint beinahe wie eine Folge dieser politischen Entscheidung, daß zwischen 1490 und 1500 nun die Zwingburg der »Neufeste« in den Mauerring Münchens einbezogen wurde; von da ab begann der Stadt- und Landesherr immer absolutistischer aufzutreten und seinen alleinigen Willen durchzusetzen. Das Schwergewicht verlagerte sich von der Bürgerstadt in das Residenz- und Hofviertel, das nun auf allen Gebieten dominierte. Die dritte Tatsache war die Wiedervereinigung der Teilherzogtümer

nach dem Landshuter Erbfolgekrieg durch den Kölner Spruch von 1505. Mit Herzog Georg dem Reichen war 1503 die Landshuter Linie ausgestorben und ihr Territorium fiel mit Ausnahme des neugebildeten Fürstentums Neuburg-Sulzbach (Junge Pfalz), das der pfälzischen Linie der Wittelsbacher zugesprochen wurde, der Münchener Linie zu. Dadurch fielen alle anderen Residenzstädte Ingolstadt, Landshut, Straubing zurück, München stieg zur alleinigen Hauptstadt der wieder vereinigten Lande auf. Freilich wurde dies um einen hohen Preis erkauft, Albrecht IV. mußte dem Kaiser für dessen wenig tatkräftige Hilfe die drei Gerichte Rattenberg, Kitzbühel und Kufstein abtreten, deren Bergsegen an Silber und Kupfer die Wittelsbacher zu Landshut reich gemacht hatte.
Der Aufstieg Münchens zur Hof- und Residenzstadt eines über hundert Jahre in der europäischen Politik engagierten deutschen Territorialstaates mußte von den Bürgern mit wirtschaftlichen Opfern und dem Verlust der geistig-religiösen Entscheidungsfreiheit bezahlt werden. München war im 16. Jahrhundert weiter noch eine Handwerker- und Handelsstadt mit starker Eigenproduktion und regem Anteil am internationalen Handel besonders mit Venedig und Tirol, ohne freilich mit den beiden größten oberdeutschen Reichsstädten Nürnberg und Augsburg konkurrieren zu können. Auf den bayerischen Landtagen waren aber seine Vertreter tonangebend. Wein- und Salzhandel, Eisenwaren- und Tuchhandel, vor allem auch Beteiligung an Bergwerksunternehmen waren die Domäne des Münchener Patriziats; unter den Handelsfamilien standen im 16. Jahrhundert die Ligsaltz an der Spitze. Die Lage an der großen Salzstraße und das Stapel- und Niederlagsrecht der Stadt hatten das Gastwirtsgewerbe sehr gefördert. Die wachsenden Bedürfnisse des Hofes spornten das Spezialhandwerk, das Luxusgewerbe und vor allem die Tätigkeit der Goldschmiede an. In der Konsumgüterproduktion stand das Textilgewerbe, vorab Tuchmacherei und Lodenweberei, an erster Stelle.

Die evangelische Bewegung in München

Im München des 16. Jahrhunderts gewannen von den zwei Männer- und einem Frauenkloster, dem Pütrich- und Ridler-Regelhaus der Franziskaner Tertiarierinnen und dem Kanonikatstift zu Unserer Lieben Frau die beiden erstgenannten für die reformatorische Bewegung eine gewisse Bedeutung; denn im Franziskanerkloster wirkten die beiden publizistischen Gegner Luthers Schatzger und Nas und im Augustinerkloster wurde in den Jahren vor Luthers Auftreten die Reformation vorbereitet. Der Buchdrucker Hans Schobser, der seit 1500 die erste dauernde Offizin in der Stadt betrieb, hat München mit der Lehre Luthers in eigenen Drucken bekannt gemacht und die erste Stellungnahme des Landesherrn pro-

12 Kübelstechen auf dem Markt am 28. 2. 1568 (von Nikolaus Solis)

voziert, die zur Beschlagnahme einer sehr hohen Auflage (1500) von Luthers Schrift an den christlichen Adel führte. Er druckte trotzdem mutig weiter, hausierende Buchführer werden seine Schriften in Ober- und Niederbayern vertrieben haben. Schobser war der bevorzugte Amtsdrucker des Hofes auch weiterhin, in dessen Offizin die beiden bayerischen Religionsmandate von 1522 und 1524 sowie die beiden Wiedertäufermandate von 1527 und 1530 erschienen; er verlegte auch die Kampfschriften Schatzgers gegen Luther und hatte trotzdem ein Gespür für die geistigen Bedürfnisse seiner Zeit. Johann von Staupitz, der Generalvikar der deutschen Augustinerobservanten, der Luthers innere Entwicklung entscheidend beeinflußte, seinem Schritt aber nicht folgte und 1524 als Abt von St. Peter in Salzburg starb, hatte in München 1500–1503 als Prior gewirkt und sich große Beliebtheit beim Rat und der Bürgerschaft erworben. Von seinen vielen späteren Aufenthalten an der Isar wurden die von 1517 und 1521 wichtig. Seine »frühevangelischen« Adventspredigten von 1517 sprachen das tiefste Anliegen der Reformation aus, die unmittelbare Gottesbeziehung eines jeden Christen durch die Liebe von und zu Gott, kurz das persönlich-individuelle Engagement des Christenmenschen in Liebe und Glaube und die Wohlgefälligkeit des menschlichen Tuns in Liebe und Glaube vor Gott. Diese Predigten fanden solches Echo in der Stadt, daß sie Schobser 1518 im Druck herausbrachte; saß doch sogar die Herzoginwitwe Kunigunde zu Füßen des Generalvikars. In München traf sich Staupitz 1521 mit Wenzel Link, vermutlich 1515–1517 Prior dortselbst, dann Mittelpunkt des religiös und geistig interessierten Reformkreises in Nürnberg und letzter Generalvikar der Augustinerkongregation (1520–1522); beide berieten hier über Luthers Vorgehen und das Schicksal des Ordens. Das Münchener Augustinerkloster stand im Zentrum der monastischen und theologischen Entscheidungen, die durch Martin Luther aufgeworfen waren.

Nachdem durch das herzogliche Religionsmandat vom 5. März 1522 Staat und Kirche in Bayern auf den Kampf gegen die Reformation festgelegt und verpflichtet waren, entschied sich auch der Münchener Augustinerkonvent dagegen. Der Augustinermönch Leonhard Beier (Reiff), ein Münchener Bürgersohn, der 1514 in Wittenberg zu studieren begann und 1518 Magister wurde, 1517 und 1518 Gehilfe und ständiger Begleiter Martin Luthers war, wurde schon vorher in München verhaftet und drei Jahre im Falkenturm festgesetzt, als er die sehr progressiven Artikel des Wittenberger Ordenskapitels vom Januar 1522 in München überbringen sollte. Im Jahre 1523 wurden vermutlich ein ketzerischer Mönch, sicher aber ein Bäckerknecht hingerichtet, weil er »lutherisch oder evangelisch« war. Für den Geist dieser Stadt und nicht nur ihren, sondern den des altbayerischen Landes spricht das Schicksal des Magisters (Professors) Arsacius Seehofer (* 1500), wieder eines Münchener Bürgersohnes, der sich frühzeitig der reformatorischen

Bewegung anschloß. Sein Vater Kaspar war ein wohlhabender und angesehener Bürger, der eine Schankwirtschaft betrieb und 1517–1530 dem äußeren Rat der Stadt angehörte. Er war vermögend genug, um 1518 seinen Sohn zum Studium auf die Universität Ingolstadt zu schicken. Seit 1521 hörte dieser in Wittenberg Melanchthon und Karlstadt und kam vermutlich auch mit Luther in Kontakt, der sich damals wegen der an sich unwirksamen Reichsacht auf der Wartburg verborgen hielt. Seine Briefe aus Wittenberg sind sehr wahrscheinlich an seinen Freund Andreas Pernöder aus Ried gerichtet, der 1518 mit ihm nach Ingolstadt gegangen war. Pernöder, ein Gegner des Ablaßwesens, wurde 1525 Stadtrichter in München und trat 1527 in herzogliche Dienste über. Amt und Stellung verboten ihm irgendein Bekenntnis zur neuen Lehre; aber seine Tochter Anna, die spätere Anna Reitmor, hat durch das Lesen der Bücher in der Bibliothek des Vaters den Weg zur Reformation gefunden (Religionsverhör von 1569). In seinen annalistischen Aufzeichnungen über die Jahre 1506–1529 berichtet Pernöder mit auffälliger Wärme über die Täuferbewegung und deren Leiden. Nach seiner Promotion in Ingolstadt 1522/23 begann Seehofer zu lehren, doch seine »ketzerischen« Vorlesungen brachten ihm Haussuchungen, persönliche Verhöre und schließlich nach dem Widerruf seiner Lehren eine fünfjährige Klosterhaft in Ettal ein. Die Untersuchungen waren im engen Kontakt mit dem bayerischen Kanzler Leonhard von Eck, einem bedeutenden Politiker, geführt worden. Nach seiner Entlassung begab sich Seehofer auf schnellstem Wege wieder nach Wittenberg und starb nach verschiedenem Ortswechsel 1542 als Pfarrer im württembergischen Winnenden.

Die früher verzeichnete Hinrichtung eines Bäckerknechts in München 1523, eines Laien also, zwingt zur Annahme, daß die steten unterschwelligen Spannungen unter den Gesellen und gewerblichen Arbeitern mit dem Auftreten Luthers in ein akutes Stadium traten und daß der Landesherr die Todesstrafe deshalb gegen den widerstrebenden Rat durchsetzte, weil er die kirchliche und staatliche Ordnung gefährdet sah. Das zeigen uns die Wanderpredigten des aus München stammenden Minoriten in Ulm Hans Rott(-Locher), der in der evangelischen Idee ein Heilmittel gegen soziale Schäden, zur Versöhnung der Stände und zur Wahrung des Friedens in ganz Deutschland sah. Rott kam 1522 oder 1523 auch nach München zurück, wurde aber entdeckt und verhört (Protokoll 1524); nur der rasche Einsatz seiner Freunde, zu denen auch ein Diener und Trompeter am herzoglichen Hofe zählte, verhalf ihm zur Flucht. In seinen beiden letzten Flugschriften von 1524, den Sendbriefen »des Bauernfeindes zu Karsthans seinem Bundesgenossen« trat

13 (S. 40/41) Topographie Münchens 1613. Zeichnung und Stich von Tobias Volckmer

MONACHIVM
BAVARIÆ
Anger
SERENISSIMO PRINCIPI AC
MAXIMILIANO
M. DC. XIII.
Hopfen garten
Stachel
NORD
OST
WEST

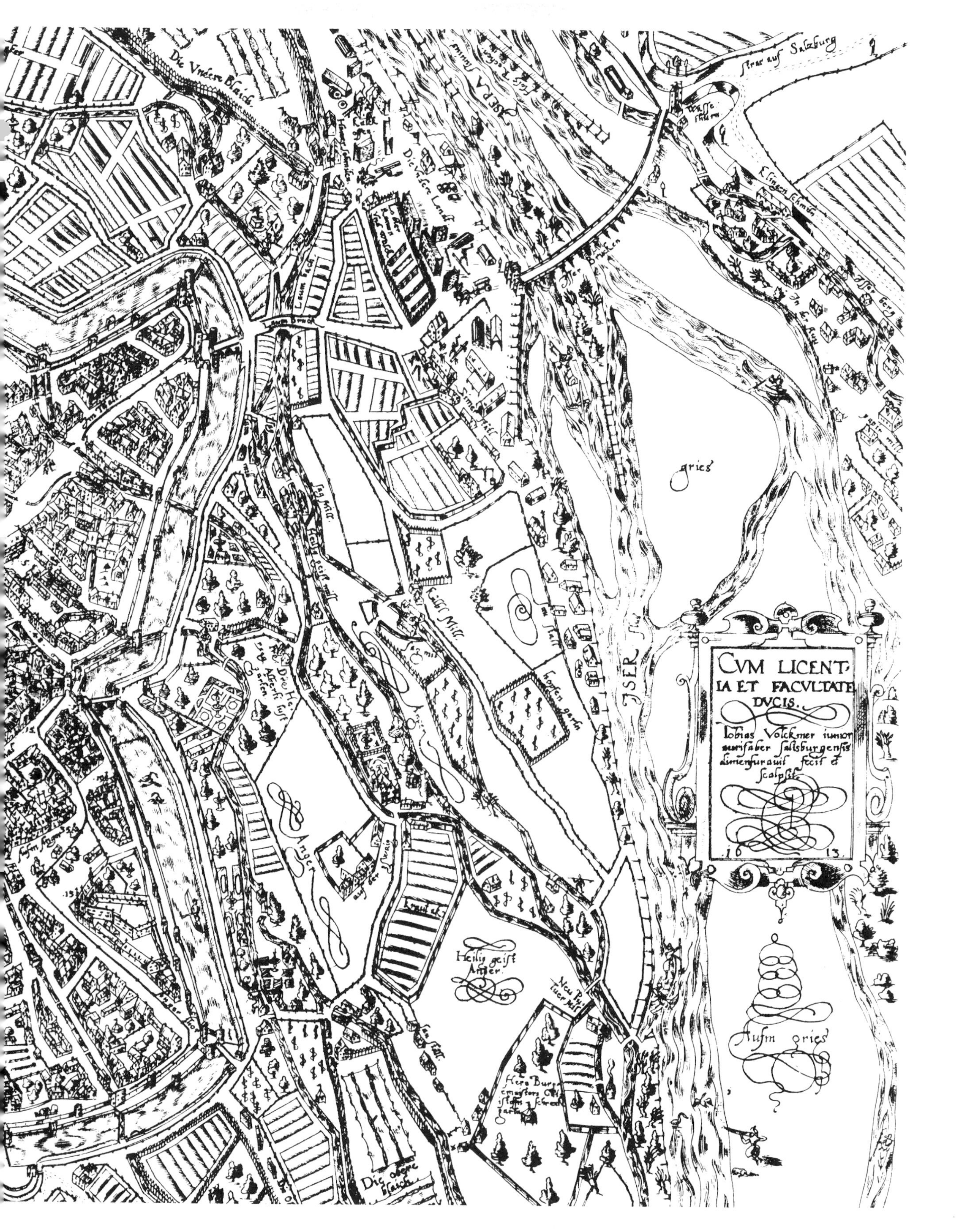

Die Vndere Blaich
Stras auf Salzburg
gries
CVM LICENTIA ET FACVLTATE DVCIS.
Tobias Volckmer iunior aurifaber Salsburgensis dimensurauit fecit & scalpsit
1613
ISER
Anger
Heilig geist Anger
Aufm gries
Die obere blaich

er offen mit seiner Gesellschaftskritik hervor und predigte den unausbleiblichen Kampf gegen die »heidnische« weltliche Obrigkeit und die »antichristliche« Geistlichkeit; einer der leidenschaftlichsten Ausbrüche der sozialen Spannungen in Stadt und Land, dessen Glut von chiliastischer Endzeiterwartung befeuert war. In München vollendete sich das Schicksal dieses leidenschaftlichen Propagandisten religiös-sozialer Gerechtigkeit; er muß hier 1524 hingerichtet worden sein. Alle diese persönlichen Streiflichter, die uns unter die offizielle Decke staatlicher »Ordnung« sehen und einen Blick in das Denken des Volkes tun lassen, zeugen für eine starke, geheime Bewegung in München und auf dem Lande, die die herzogliche Regierung nervös machte und zu höchster Wachsamkeit anspornte. Die Vorsichtsmaßnahmen unter der Leitung des Kanzlers Leonhard von Eck waren es, die den Bauernkrieg an den Grenzen des Territoriums zum Stehen brachten.

Daß aber die evangelische Bewegung ein religiös-geistiges Anliegen aller Menschen aussprach und in der ersten Reformationswelle (1520–1527/28) auch die städtische Oberschicht der Patrizier erregte, zeigen die Münchener Patrizierfamilien der Dichtel, Rosenbusch und Barth. Bernhard Dichtel aus einer Münchener Ratsfamilie, die im Fernhandel mit Salz, Pelz und Kupfer reich geworden war, die seit 1480 auch Hofmark und Sitz Tutzing besaß und über die besten Beziehungen zum Herzogshof verfügte, stand in engsten Verbindungen zum Nürnberger Bürgermeister Kreß und war mit dem dortigen Patrizier Hieronymus Baumgartner verschwägert, einem der eifrigsten Förderer der Reformation in Nürnberg. Man muß wissen, daß Nürnberg die erste süddeutsche Reichsstadt war, in der die Reformation offiziell Eingang fand. So versteht man das frühe Interesse des Münchener Patriziers für Luthers Lehre. Seine offenen Reden führten zu einer zermürbenden Haft im Falkenturm, nach der er Urfehde schwor und mit einer Strafe von 1000 Gulden belegt wurde. Im nächsten Jahr stand er wieder in des Herzogs Gunst. In Süddeutschland rechneten die Menschen bis über die Jahrhundertmitte hinaus mit einer gütlichen Einigung in der Konfessionsfrage, ja sie hielten Luthers Kirchenreform in einer friedlichen Entwicklung für möglich und waren sich der revolutionären Sprengkräfte nicht bewußt, die in ihr ruhten. Zusammen mit Dichtel wurden auch zwei Frauen aus den Ratsfamilien der Rosenbusch und Barth verhört, deren Familien fast ein Halbjahrhundert lang zur evangelischen Bewegung standen. Anna Rosenbusch, die Mutter des späteren Landschaftskanzlers Jakob Rosenbusch und Herrn von Possenhofen, stammte aus der gleichfalls bedeutenden Patrizierfamilie der Rudolf.

Zu der Zeit, da der junge Messerschmied Ambrosi Losenhammer 1527 mit dem Schwert hingerichtet wurde, weil er am Gründonnerstag in der Frauenkirche laut gegen das Altarsakrament protestiert hatte, gründete Leonhard Dorfbrunner die Münchener Täufergemeinde, die unter Führung des Münchener Eichmeisters Christoph Feurer und des Gschlachtgwanders Jörg Schechner, Sohn eines Ratsbürgers, an die vierzig Mitglieder zählte. Auch sie traf die ganze Härte des Mandats vom 15. November 1527 über die Täuferbewegung in ganz Bayern. Von 29 Verhafteten wurden 9 verbrannt oder ertränkt, die anderen mehr oder minder lang verhaftet. Der Herzog statuierte ein blutiges Exempel, das die ganze evangelische Bewegung für zwei Jahrzehnte lahmlegte und zum Verstummen brachte. Der Rat der Stadt übte fortan eine strenge Kontrolle und überwachte Buchdruck und Buchhandel scharf. Doch ließ es sich nicht unterbinden, daß die Münchener bei ihren häufigen Reisen in lutherische Städte und Territorien auch die lutherische Predigt besuchten und das lutherische Abendmahl nahmen. Manche wanderten freiwillig um ihres Glaubens willen aus; so ging ein Teil der Ratsfamilie Sänftl vermutlich nach Augsburg. Der obengenannte Gschlachtgwander Jörg Schechner erwarb 1530 das Nürnberger Bürgerrecht.

Erst die Religionspolitik Herzog Albrechts im ersten Jahrzehnt seiner Regierung (1550–1560) brachte trotz Festhaltens an den Grundsätzen wesentliche Lockerungen. Es hatte sich offenbar in München die Überzeugung durchgesetzt, daß man nur durch Zugeständnisse an die neue Lehre die erneut kraftvoll anschwellende Bewegung kanalisieren könne. Deshalb berief man als Dekan des Kanonikerstifts zu Unserer Lieben Frau und als Prediger den vielerorts als reformatorischen Hofprediger und Organisator schon bewährten Adam Bartholomaei aus Ulm. Seine Predigt schürte die Abneigung der evangelisch gesonnenen Münchener gegen die konservativ-katholische Geistlichkeit der Stadt, was zu Maßnahmen des herzoglichen Religionsrates 1558 gegen gewisse Leute, auch Frauen aus Patrizierhäusern führte, so auch gegen den Bassisten der herzoglichen Hofkapelle Kemater. In großer Zahl »liefen« die Münchener zur Feier des Abendmahls unter beiderlei Gestalten in lutherische Orte wie Augsburg, Haag, Nürnberg und Regensburg »aus«, so daß 1562 verordnet wurde, daß an Sonn- und Feiertagen die Wege nach Augsburg durch Reiter überwacht würden. Auf den Kirchenplätzen und Straßen, in Wirtshäusern und Gesellenherbergen rissen die Dispute nicht mehr ab und wurden in geheimen Winkelschulen und bei Winkelpredigten fortgesetzt und in neue religiöse Erbauung umgewandelt, in deren Mittelpunkt die Postille, das lutherische Predigtbuch stand. Diese Literatur (Postillen, Katechismen, Gesangbücher) konnte man sich in Münchens Buchläden und bei wandernden und hausierenden Buchführern beschaffen, die man schwer kontrollieren konnte. Die evangelischen Eltern übten immer stärkeren Druck auf die Lehrer in den Schulen aus, deren es 19 deutsche Schulen (Volksschulen) mit ca. 900 Schülern 1560 gab. Unter den drei »höheren Schulen« (Pfarrschulen bei St. Peter und Frauenkirche) war die städtische »Poeterei« unter Martin Balticus, einem Münchener Bürgersohn (* 1532), eine Stätte evangelischer Unterweisung und Bildung. Wilhelm Hörl, der

Schwiegervater des Balticus, war eines der aktivsten Glieder der evangelischen Bewegung in der Isarstadt. Petrus Canisius machte auf ihn aufmerksam und gab den Anstoß dazu, daß er 1559/60 München verlassen mußte. Gar manche Eltern ließen ihre Kinder trotz dieser toleranten und evangelischen Schulen auswärts in Nürnberg, Augsburg, Ulm unterrichten. Viele Münchener besuchten in diesem Jahrzehnt protestantische Universitäten wie Tübingen, Wittenberg und Heidelberg.

Daß das Gesellenwandern und die Handels- und Geschäftsreisen wesentlich zur Verbreitung und Erhaltung der neuen Lehre in der Stadt beitrugen, läßt ein Verhörprotokoll über eine lutherische Demonstration in der Augustinerkirche 1558 erkennen, die sich im ostentativen Singen der lutherischen Choräle = »deutschen Psalmen« Luft machte; der Rat ermahnte nur, der Herzog forderte die Verhaftung. Unter den Beteiligten fallen vier Goldschmiede, bzw. Goldschmiedegesellen der Goldschmiedswitwe Katharina Stain auf, deren zweiter Mann aus Königsberg in Preußen stammte; von ihren drei weitgereisten Gesellen stammte der eine aus Szegedin in Ungarn und war über Polen und Österreich nach München gekommen, wo er einer der angesehensten Goldschmiedemeister wurde; der zweite stammte aus Stettin, der dritte aus Passau. Eine Goldschmiedestätte war hier zweifellos die »Basis« religiösen Disputs und evangelischer Aktion. Der Münchener Rat aber stand schon seit den dreißiger Jahren im Rufe, selber halb lutherisch zu sein; er setzte sich seit der »Deklaration« des Münchener Ständetags vom April 1556 für die Kelchkommunion ein und forderte nach dem Ingolstädter Landtag von 1563 die Landschaftsverordneten der drei Stände auf, den Herzog energisch an sein Kelchversprechen zu erinnern; München müsse als Hauptstadt in dieser Angelegenheit vorangehen. Massive Drohungen des Landesherrn schüchterten den Rat der Stadt immer wieder ein. Seit 1558 war die »Tauwetterperiode« in der bayerischen Religionspolitik zu Ende gegangen; der herzogliche Religionsrat bekämpfte planmäßig zuerst die ketzerischen Bücher, dann die Mißstände in der Geistlichkeit, die evangelischen Äußerungen der Bürger und reinigte dann das Schulwesen. Diese Aufgabe wurde einer Visitationskommission übertragen, an der zwei Ratsherrn mit dem Stadtunterrichter und zwei herzoglichen Räten mitwirken sollten.

In den sechziger Jahren des 16. Jahrhunderts konzentrierten sich Protest, Widerstand und Kelchverlangen in zwei Kreisen evangelischer Bürger Münchens, in denen wir die angesehensten Bürger finden. Der eine Kreis bildete sich um den Patrizier Hans Ligsaltz d. Ä. aus der vermögendsten Familie der Stadt, die am internationalen Geldgeschäft (Brügge) viel verdiente. Mittelpunkt des anderen Kreises war der herzogliche Rat und Hofmarschall Pankraz von Freiberg, Inhaber der Herrschaft Hohenaschau-Wildenwart, ein Bergherr, der bedeutendste

Kopf unter den Anführern des Protestantismus in Bayern mit weitreichenden internationalen Beziehungen. Nach einem harten und langen Prozeß entließ ihn der Herzog 1561 aus seinem Amte. Wir kennen acht Münchener Bürger, die sich um das Haupt des »politischen Protestantismus« in Bayern geschart hatten, darunter wiederum zwei Goldschmiede und zwei Gastwirte. Eine zentrale pastorale Figur in diesem Kreis war Wilhelm Hörl mit seiner Frau Margarethe. Fast in allen Häusern Münchens wurde das lutherische Schrifttum gelesen und in Kreisen Gleichgesinnter freimütig diskutiert. Die verwandtschaftlichen Beziehungen förderten intensive konfessionelle Querverbindungen in reformierte Orte. Es nahmen Leute höchsten wie niederen Standes an den Kreisen und an der Bewegung teil. Doch unterlagen sie seit dem Beginn des Jahrzehnts einem stetig wachsenden Druck, der im Religionsverhör von 1569 seinen Höhepunkt erreichte; im Zusammenhang damit verließen 18 Personen, darunter der Ratsbürger Augustin Sänftl von Wabern und der Bergwerksunternehmer Max Hofer von Urfarn ihre Heimatstadt, es verblieben noch 125 Utraquisten. Im Verlauf dieser Aktionen zog der Herzog sein 1556 gegebenes Versprechen der Kelchkommunion zurück und setzte im dritten Religionsverhör von 1571 zur Beseitigung jeglicher evangelischer Glaubensäußerung in seinem Territorium an. Bis auf neun Personen gelang das Experiment; nach dem dritten Religionsverhör wanderten insgesamt 20 Personen aus, darunter drei Mitglieder der geadelten Familie Adler von Adlerstein und zwei der Patrizierfamilie Reitmor, die sich nach Regensburg, Augsburg und Nürnberg begaben, wo sie bald wieder in angesehener und reicher Position erschienen. Die Religionsflüchtlinge trugen große Vermögen aus der Stadt, zu ihnen zählten die wirtschaftlich stärksten Bürger. Ihrer gesellschaftlichen Struktur nach waren die 140 Religionsflüchtlinge seit 1568 mit eingeschlossen vom inneren Rat d. h. den patrizischen Geschlechtern 9 d. h. 70 Prozent evangelisch, vom äußeren Rat (Kaufleute, Wirte, Tuchhändler) 11 = 32 Prozent, von den Berufen der nicht ratsässigen Gruppen 32, davon 13 Gastwirte und 14 (15) Goldschmiede; unter einfachen Handwerkern und Krämern waren 38 Evangelische festzustellen. Im ganzen wurde die evangelische Bewegung Münchens 1550–1570 vom mittleren und gehobenen Bürgertum getragen. Sie war zugleich eine Protest- und eine Frömmigkeitsbewegung, die neue Wege des Glaubens und eigene Formen des religiösen Lebens schuf. Sie war aber auch eine Laienbewegung.

Die Stadt an der Isar, die unter Ludwig dem Bayern Propagandazentrum mit europäischer Wirkung gegen das Papsttum von Avignon gewesen war, wurde im 16. Jahrhundert zum Vorort der evangelischen Bewegung im bayerischen Territorium, trotz entwickelter Landeskirchenherrschaft und unbeirrbarer Katholizität des Landesfürsten, den ein Brief des berühmten Jesuitentheologen Gregor von Valencia nach Rom im Jahre 1583 nach einem Wort des päpstlichen Nuntius

Felician Ninguarda den alleinigen Bewahrer und Garanten des katholischen Glaubens in Bayern, also auch in München, nannte. Die evangelische Bewegung in München eröffnet uns den ersten klaren Einblick in die geistige Struktur und Mentalität der Bürger, des Volkes dieser Stadt und seiner gesellschaftlichen und wirtschaftlichen Schichten und Kreise. Zum ersten Mal tritt neben den Landesherrn, seine Beamten und den Klerus der Laie, das Volk, die weltlich-bürgerliche Gesellschaft als mündige, aktiv handelnde, selbstbewußte Kraft, die nur Terror und Härte bändigen konnten, selbst um den Preis des Verlustes großer Vermögen und höchst aktiver, kraftvoller Menschen. Darum kam in Bayern so früh der Absolutismus hoch, darum wurde München so ausschließlich »Haupt- und Residenzstadt«.

München im Zeichen der Gegenreformation und katholischen Reform

Nicht Wilhelm V., sondern sein Vater Albrecht V. (1550–1579) hat auf allen wesentlichen Gebieten der Politik nach innen und außen die Weichen für die kommenden eineinhalb Jahrhunderte gestellt. Er hat die Wege für die rheinische Bistumspolitik seines Hauses bereitet und seinem Sohn Ernst die Bahn auf den Erzstuhl von Köln geebnet unter Umgehung der Bestimmung des kaum beendeten Konzils von Trient über die Kumulation von Ämtern, die eine Hauptwurzel des kirchlichen Übels in Deutschland beseitigen wollte. Sein Sohn Wilhelm setzte den Schlußpunkt unter die landesherrliche Kirchenpolitik des Vaters mit dem Konkordat von 1583, das sowohl die ausschließliche Katholizität des Landes und seiner Hauptstadt bekräftigte wie auch die besonderen Rechte des Landesherrn in der Landeskirche gegen die reichsständisch autonomen Bischöfe im Lande sicherte. Den Habsburgern war es schon im 15. Jahrhundert gelungen, ihre Residenzstadt Wien zum Sitz eines kleinen Hofbistums zu machen und dieses aus dem Jurisdiktionsbereich des Bistums Passau herauszulösen. Den Wittelsbachern war ein solcher Erfolg bis zum Ende des Alten Reiches versagt; denn der hauptsächlich betroffene Bischof von Freising gewann für die Erhaltung seines Rechtstandes immer die Unterstützung des habsburgischen Kaisers, der selber insgeheim und offen seine territorialen Interessen in Bayern hatte und vertrat. Die Niederlage der Landstände, des Adels und Bürgertums in der Konfessionsfrage hat auf der einen Seite endgültig den geballten Einsatz ihrer korporativen Macht, wie er sich auf den Gesamtlandtagen repräsentierte, in der Landespolitik gehemmt und verhindert, auf der anderen Seite gerade in Bayern sehr früh einer absolutistischen Herrschaft das Tor geöffnet, die es nur mehr mit einem Ständeausschuß, der Landschaftsverordnung, zu tun hatte; die konnte man zwar nicht übergehen, weil

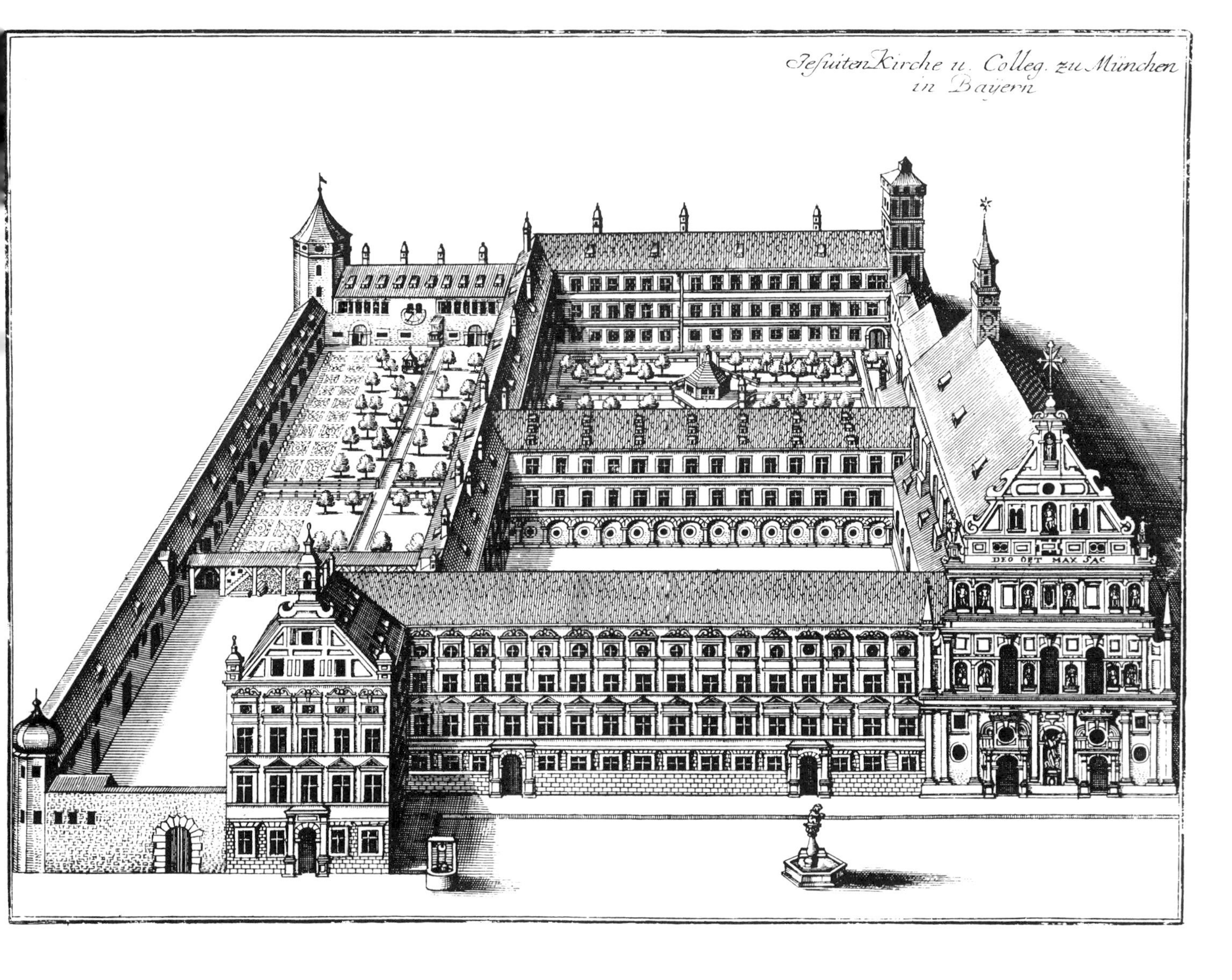

14 Das Jesuitenkolleg mit der Michaelskirche nach einem Stich von 1644

sie Steuerbewilligung und Steuerverwaltung weiter beherrschte und über das liebe Geld verfügte, doch konnte man sie besser manipulieren, mindestens zu einem Kompromiß veranlassen. Die Landtage wurden seit Albrechts V. Sieg über die Stände kaum mehr einberufen, seit 1669 überhaupt nicht mehr.
In diesem allgemeinen Rahmen muß man auch das Leben und die Entwicklung der Stadt München sehen, deren Bürgertum zurücktrat, sein im 15. und 16. Jahrhundert sehr scharfes Profil verlor und dem gestaltenden Herrscherwillen das Feld räumte. München wurde seit Albrecht V. das frühe Modell einer katholischen, fürstlichen Hof- und Residenzstadt, in der der Hof den Ton angab und mit seinen Bedürfnissen auch das wirtschaftliche Leben ausschließlich bestimmte. Der Herzog, seine Räte, Beamten und Hofdiener, Jesuiten, Hofgeistliche, die Gäste und Fremden beherrschten fast ganz die Szene, die Bürger und Einwohner traten in den Schatten und gehorchten den Normen, die der Hof setzte. Das zeigte sich vor allem in den Ausmaßen der fürstlichen Bauten, die die Bürgerstadt zur Seite schoben. Menschlich betrachtet und von heute aus gesehen war das ein höchster Preis, der für die grundlegende Veränderung von Funktion und Struktur und für ein neues glänzendes Profil bezahlt wurde. Münchens Bürgertum kann für sich in Anspruch nehmen, daß es mit dem Einsatz von Gut und Blut und Leben gegen diese Entwicklung angekämpft hat; daß es ihr erlag, daß es ihr Opfer wurde, ist die Folge von Entwicklungen und Zwängen, denen ganz Europa preisgegeben war, zu seinem Vorteil und zu seinem großen Schaden. England wurde darum das frühe Musterland, die Heimstatt des Parlamentarismus, weil seine Stände der katholischen Restauration und dem konfessionellen Absolutismus der Stuart-Könige im 17. Jahrhundert erfolgreich trotzten. München erreichte zwar 1561 mit dem »Albertinischen Rezeß« formell das Vollmaß bürgerlicher Autonomie, weil dem Rat das Blutgericht bestätigt wurde, doch entzog 1587 Herzog Wilhelm V. (1579 bis 1597) aus fiskalischen Gründen und zur Abdeckung seiner Schuldenwirtschaft der Stadt die alten Salzhandelsprivilegien und schuf ein staatliches Salzmonopol, das zur Haupteinnahmequelle des Territoriums im 17. und 18. Jahrhundert wurde. Er nahm damit zwar den »Merkantilismus« sehr früh vorweg, knickte aber zugleich die wirtschaftliche Blüte der Bürgerstadt, deren Salzsenderzunft verschwand.
Seit Maximilian I. (1597–1652) die Regierung des völlig verschuldeten Landes übernahm, gab es nur noch einen Herrn in dieser Stadt. Der Strukturwandel fand seinen sichtbaren Ausdruck in der neuen Kunst, der Renaissance, die jetzt in München einzog. Mit ihrem Heimatland standen Bayern und München schon seit Ludwig dem Bayern in regen politisch-dynastischen, vor allem wirtschaftlichen und geistigen Beziehungen. Seit der Heirat der Kaisertochter Elisabeth mit Cangrande della Scala, dem Fürsten von Verona, (1350) bestanden auch mit den Sforza und

15 »Der Marckt zu München« (Marienplatz). Merian 1644

Visconti in Mailand und den Gonzaga in Mantua rege höfische Verbindungen. Das Sandtnermodell (im Bayerischen Nationalmuseum) der Stadt München zeigt, daß die gotische Bürgerstadt durch den neuen Stil kaum verändert wurde. Renaissance war in München Hofstil, wie überhaupt die nun für fast drei Jahrhunderte betriebene, ausschließliche öffentliche Kunstpflege der Wittelsbacher genau so wie ihre Prunk- und Freudenfeste, ihr Hofleben bis Ludwigs I. Klassizismus der Repräsentation ihrer Macht, ihres Herrscher- und Gesellschaftsideals, ihrer politischen Ansprüche diente. Das kam auch gesellschaftlich darin zum Ausdruck, daß der Hofkünstler und der »hofbefreite« Bürger und Handwerker, die unter dem Schutz des Hofes standen und vom Zunftzwang befreit waren, eine privilegierte Klasse unter den produzierenden Kräften dieser Stadt wurden.
Die bayerischen Herzöge Wilhelm IV., Albrecht V., Wilhelm V. und Maximilian I. haben München zu einer Hochburg der Gegenreformation und einem Zentrum des durch das Konzil von Trient erneuerten katholischen Lebens gemacht; gleichzeitig wurde es auch ein Mittelpunkt höfischen Lebens und herrscherlicher Kunstpflege von deutschem und europäischem Rang. Die innere Erneuerung von Kirche, Klerus, Kirchenvolk war die religiöse Basis für die von den Wittelsbachern defensiv und offensiv geführte Politik im konfessionellen Zeitalter, das mit dem Westfälischen Frieden von 1648 zu Ende ging. Davon wurden Geist und Bild der seit 1570/71 ausschließlich katholischen Residenzstadt München nachhaltig, zum Teil bis heute, geprägt. Petrus Canisius, der Verfasser des berühmten Katechismus, hat noch in den fünfziger Jahren des 16. Jahrhunderts festgestellt, daß München zwar eine schöne, aber von Ketzern verdorbene Stadt sei. Die katholische Entscheidung der Herzöge, die sich nie gewandelt hat, war das Ergebnis des landeskirchlichen Ausbaus schon im vorreformatorischen Jahrhundert und der engen Beziehungen, die besonders Albrecht IV. schon durch Gesandte mit der römischen Kurie unterhielt. Deshalb konnten sich Wilhelm IV. und sein bedeutender Kanzler Leonhard von Eck schon in den zwanziger Jahren die Unterstützung der Kurie für ihre bayerische Religionspolitik sichern; das Papsttum war damals die italienische Großmacht in Italien und war gerne zu Konzessionen an außeritalienische Staaten und vor allem zu einer weitgehenden einseitigen Anpassung an die weltliche Gesellschaft von damals bereit, wenn es damit seine Machtposition auf der Halbinsel erhielt und befestigte. Der große Teilsieg der Reformation in Deutschland und Europa war nicht zuletzt das Ergebnis der tiefen politischen Spannungen und Machtgegensätze zwischen Habsburgerkaiser und römischem Papst. Um 1540 charakterisierte der päpstliche Nuntius Morone die bayerische Politik als Ausdruck einer starken und harten, antiketzerischen Macht, die tatsächlich auch den kaiserlichen Ausgleichsbestrebungen um 1540/41 heftigsten Widerstand entgegensetzte (Johannes Eck auf dem Wormser Religionsgespräch).

Die bayerische Religionspolitik der Härte konnte auf deutscher Ebene nicht erfolgreich sein, weil das Ruhebedürfnis der deutschen Reichsstände Ausgleich und reichsrechtliche Anerkennung des Luthertums im Augsburger Religionsfrieden von 1555 erzwang. Innerhalb des bayerischen Territoriums war inzwischen selber eine Aufweichung der Härte durch die Stände in Gang gekommen, der sich der Herzog zunächst nicht entzog. Die Konfessionspolitik vorab Albrechts V. führte Bayern auf die Bahn europäischer Politik und gemeinsamer Interessen mit den Vorkämpfern der Gegenreformation, mit Wien, Madrid, Rom, mit Österreich, Spanien und der Kurie, sie überspannte aber auch im Endeffekt die Kräfte dieses mittleren, wenn auch sehr geschlossenen Territoriums, das diese Überanstrengung nicht durchhalten konnte, so glanzvoll und im einzelnen erfolgreich sie sich entwickelte und in der Rolle und Physiognomie der Residenzstadt München sich auch ausprägen mochte. Die Annahme der Trienter Beschlüsse und die Garantie der ausschließlichen Katholizität durch das Reformationsrecht des Fürsten haben die Tür nach dem deutschen Norden verstellt, nach dem Süden aber noch weiter geöffnet als bisher. Bayern tauchte tief in den lateinisch-katholischen Kulturkreis ein und ließ sich von seinem Formgefühl, seinem Geist und seiner Frömmigkeit vielfach anregen und prägen. Vermutlich ist das aber auch eine Folge bayerischer Tendenz und Expansion nach dem Süden und Südosten seit Anfängen.

Daß auf das gotisch-bürgerliche und das evangelisch ständische nun das katholisch-fürstliche München folgte, ist das Werk des Herzogs, aber auch der Jesuiten, der »modernen« politischen Kämpfer für Gegenreformation und Reform. Albrecht V. holte sie 1559 nach München, nachdem sie schon zehn Jahre an der Universität Ingolstadt tätig waren. Sie errichteten ein Gymnasium im Augustinerstock (Wilhelmsgymnasium), an dem sie die Führungsschichten in Staat und Kirche erzogen. Das damit verbundene Jesuitentheater beeinflußte und prägte, erschütterte und faszinierte die ganze Öffentlichkeit dieser Stadt. Der Heroismus der kämpfenden und der Triumph der siegenden Kirche wurde in immer neuer Antithese auf der Bühne dem Volke eingehämmert. Im großen »Umgang« der Fronleichnamsprozession fanden sich alljährlich Hof, Bruderschaften, Ordens- und Weltklerus, die ganze Stadt zur Manifestation eines erneuerten Katholizismus zusammen. Die Musik Orlando di Lassos untermalte viele Szenen aus dem Alten und Neuen Testament, die die Schaulust und Neugierde einer angeregten Hofstadt religiös befriedigten. Dem Anspruch der Münchener Wittelsbacher auf die führende Stellung unter den katholischen Fürsten Deutschlands stand der Vorrang der pfälzischen Wittelsbacher unter den Protestanten gegenüber. Bayern ließ sich seine loyale, aktive Haltung zu Kurie und Katholizismus gut bezahlen. Die päpstlichen Nuntien und Legaten, die am Münchener Hof aufwarteten, und die bayerischen Agenten am Vatikan verhandelten nicht nur über religiöse und kirchliche

Erneuerung, sondern über die Interessen des Herzogs an der Landeskirche und die Abgrenzung der bischöflichen gegenüber der landesherrlichen Macht und Autorität. Die wittelsbachische Reichspolitik diente nicht nur der Gegenreformation, sondern ebensosehr ihrer dynastischen Politik. Papst und Kaiser mußten oft nachgeben, da sie auf den starken Arm der Herzöge angewiesen waren. Bayerische Waffen haben das Erzstift Köln vor der Säkularisation bewahrt, damit den Katholizismus am Niederrhein und in Nordwestdeutschland gerettet und so die katholische Mehrheit im Kurfürstenkolleg gesichert. Die bayerische Sekundogenitur in Kurköln bis in das 18. Jahrhundert hat die Verbindung München–Köln zu der katholischen Querachse des Reiches mit ihren sieben geistlichen Staaten an Rhein und Main gemacht.
Der mißglückte Plan Wilhelms V., das Gebiet der Stadt München zum unabhängigen Hofbistum zu erheben und dem Hofbischof die Aufgabe eines ständigen apostolischen Nuntius mit Aufsichtsrecht über alle für Bayern zuständigen Bischöfe zuzuweisen ist ein starkes Zeichen bayerischen Selbstbewußtseins in den Verbindungen mit Papst und Kurie. Das geschah im gleichen Jahr, in dem das Konkordat mit der Kurie geschlossen und der Grundstein für die Michaelskirche in München gelegt wurde. Ihre Gruft nahm als ersten Wittelsbacher den Erbauer Wilhelm V. auf. Soviele Profanbauten im Renaissancestil Deutschland besitzt, die Michaelskirche ist der einzige bedeutende sakrale Renaissancebau nördlich der Alpen. Ihre Fassade zeigt die Ahnherrn des wittelsbachischen Hauses in figürlichem Schmuck; Dienst für die Kirche paart sich mit kraftvollem Selbstbewußtsein. Nach den Jesuiten kamen noch andere Orden zur Vertiefung der Kirchenreform in die Stadt, die Franziskanerobservanten 1620, die Kapuziner 1600, die das breite Volk aufrüttelten und wach hielten, die Paulaner 1629 (Pfarrei in der Au), die Karmeliten 1650 (Kloster und Kirche neben der Maxburg), die Jesuitinen oder Englischen Fräulein der Maria Ward 1627. Sie alle belebten eine neue Religiosität und Frömmigkeit, in die auch spanische Elemente einströmten, die die Wiener und auch die Münchener Hofordnung sehr stark prägten. München erhielt im heiligen Benno einen neuen Stadtpatron, dessen Gebeine unter Albrecht V. von Meißen an die Isar überführt wurden. Herzog Maximilian I. stellte die Patrona Baiovariae (Bavariae) in das Zentrum seines Staatsprogramms und kam damit dem ungeahnten Anschwellen der Marienverehrung in Stadt und Land weit entgegen; ihre Statue wurde der Mittelpunkt der neuen Residenzfassade, die er erbauen ließ. Die Durchsetzung des Marienkultes bis in die kleinste Hütte wurde zum Staatsanliegen dieses großen Wittelsbachers. Seine »Frauentaler« hielten das Bild der Madonna in jedes Bürgers Hand lebendig. Dadurch wurde die Stadt in eine religiöse, romanische Atmosphäre getaucht, deren Wirkung auf den Willen, die optische Schau und die Sinne berechnet war. Italienische und spanische

Jesuiten und Mönche hielten diese Stimmung wach. Der Hofbibliothekar Max I. Aegidius Albertinus schlug Brücken zur spanischen Literatur, führte den spanischen Schelmenroman in Deutschland ein und übersetzte aszetische Schriften Antonios de Guevara, des Hofpredigers Karls V., in kräftiger, bildhafter Sprache im Auftrag des Herzogs. Das Volk wurde durch Drucke mit der spanischen Mystik der Theresia von Avila und des Johannes von Kreuz bekannt gemacht. In München schrieb der Vetter des großen Cervantes, Don Diego de Saavedra y Fajardo, seinen geistvollen Fürstenspiegel »Idea de un Principe politico-cristiano«.

Herzog Maximilian I., Führer der katholischen Liga (1609) gegen die protestantische Union, Sieger in der Schlacht am Weißen Berg bei Prag über den pfälzischen Vetter und die böhmischen Stände im Namen des Kaisers (1620), wichtigste Figur im Spiel der päpstlichen Politik der Gegenreformation, Kurfürst seit 1623 nicht zuletzt durch die Tätigkeit der päpstlichen Diplomatie, machte München zu einem Bollwerk gegenreformatorischer Politik sowie zur kurfürstlichen Residenz, von der aus dieser Willensmensch den Religionskrieg leitete, welcher der Dreißigjährige Krieg im ersten Dezennium war oder sein sollte. Das Restitutionsedikt von 1629 beendete den Höhepunkt katholischer Machtentfaltung mit Bayern an der Spitze, und in seinem Gefolge spaltete sich die katholische Partei; Maximilian war es vor allem, der Wallenstein und dem Kaiser entgegentrat. Richelieu umwarb den Kurfürsten in seiner Politik, den Kaiserhof zu isolieren, er bewog Gustav Adolf von Schweden zur Invasion in das Reich. Ein halbes Jahr nach der Niederlage des Kaisers bei Breitenfeld (1631) standen die Schweden vor den Toren Münchens. Die Niederlage war für den Kaiser wie für Maximilian fast vernichtend. Der Krieg wurde zu einer Auseinandersetzung um die Vormacht in Europa, die gegen Habsburg entschieden wurde. Seit 1635 mühte sich der Kurfürst mit wechselnder Haltung um den Frieden, Bayern und München hatten damals schon ihre führende Stellung im System der Gegenreformation verloren, der Konfessionskrieg war zu Ende. Nachdem die streitenden Parteien sich ausgeblutet hatten, schuf der Westfälische Friede von 1648 nach der Konzeption Frankreichs ein neues System des Gleichgewichts der Kräfte, vor allem in Deutschland. Die Menschen aber beherrschte eine namenlose Sehnsucht nach Frieden. Was von dieser Epoche im Antlitz und Charakter Münchens haften blieb, ist sein betont konfessionell-katholischer Wesenszug mit starker Neigung zur romanischen Kulturwelt, trotz allem eine Distanz zu Österreich und Wien, ein starkes Selbstbewußtsein, die neue Residenz als Zentrum deutscher Politik und europäischer Interessen, als Stätte einer ausgeprägten Hofkunst von internationalem Charakter.

Seit dem späten 16. Jahrhundert wuchs Münchens Ruf als Kunststadt weit über

die Grenzen des Landes hinaus. Zwar schufen schon erstrangige Künstler der Zeit wie der Augsburger Hans Burgkmair, der ältere und jüngere Breu, der Regensburger Albrecht Altdorfer am Lusthaus und seiner Bildergalerie im Hofgarten Herzog Wilhelms IV. (1508–1550) am Marstallplatz. Zwar ließ sein Sohn Albrecht V. (1550–1579) die ersten Sammlungsbauten und Museen Deutschlands in München errichten, 1563/7 die Kunstkammer durch Hofbaumeister Egckl, den ältesten im Münzhof noch erhaltenen Renaissancebau dieser Stadt, einst herzoglicher Marstall, 1569/71; das Antiquarium für die Antikensammlung und für die 1558 von Albrecht V. begründete Hofbibliothek, die in die heutige Staatsbibliothek aufging, während das Antiquarium heute ein vielbewunderter Empfangsraum des Staates ist. Der Antwerpener Arzt Quickelberg, der Begründer der Museumswissenschaft, hat diese Sammlungen organisiert. Aber den großen Ruhm Münchens als Stadt der Künste und Musen haben Wilhelm V. und sein Sohn Max I. begründet. Niederländer, die sich in Italien ausgebildet hatten, wurden jetzt führend. Friedrich Sustris erbaute die Michaelskirche, das Jesuitenkolleg und die Alte Akademie; Peter Candid, der Hofmaler der beiden Fürsten, und Hubert Gerhard, der die Madonna auf der Mariensäule, den Perseusbrunnen im Grottenhof, die Bavaria auf der Rotunde des Hofgartens und den Erzengel Michael an der Fassade der Michaelskirche schuf, ragten besonders hervor. Von dem großen Übersetzer Aegidius Albertinus, ebenfalls einem Niederländer, war oben schon die Rede. Einen ersten Höhepunkt musikalischen Schaffens setzte der Münchener Hofkapellmeister Orlando di Lasso, neben Palestrina in Rom der gefeiertste Komponist seiner Zeit, gleich schöpferisch in geistlicher und weltlicher Musik, dessen Messen, Motetten, Madrigale, Chansons Münchens Stadt, Hoffeste, Kirchen erfüllten. Bis zur Einführung der italienischen Oper durch Kurfürstin Adelaide von Savoyen und des französischen Schauspiels unter Kurfürst Max Emmanuel versorgte das Jesuitentheater als Hof- und Volkstheater die Münchener Schaulust und Festesfreude; ein Höhepunkt war 1609 die Aufführung der Tragödie Cenodoxus des Jesuiten Jakob Biedermann. Für die neue Auffassung von Herrschaft und Macht genügten der Alte Hof und die spätmittelalterliche Neufeste nicht mehr. Wilhelm V. erbaute sich darum die 1596 vollendete »Maxburg« (Wilhelminische Neuveste) und ließ 54 Bürgerhäuser dafür abbrechen. Der Sohn Maximilian I. ließ zwischen 1600–1608 um 1,5 Millionen Gulden die Residenz errichten, die lange Zeit der großartigste Schloßbau Deutschlands war und Gustav Adolfs höchstes Entzücken fand. Ihre Fassade schmückte er 1616 mit der »Patrona Bavariae« von Hans Krumpper und die Pestsäule der Maria auf dem

16 Die Fassade der Michaelskirche, bedeutendster kirchlicher Renaissancebau Deutschlands

Markt 1638 mit der Muttergottes von Hubert Gerhard. Der Kurfürst war ein begeisterter Kunstsammler. Er erwarb für die Kammergalerie seiner Residenz 1627 Dürers »Vier Apostel«, 1613 den Paumgartneraltar aus der Nürnberger Katharinenkirche, 1614 den Helleraltar aus der Frankfurter Dominikanerkirche; dazu kam das Gebetbuch Kaiser Maximilians I. mit Dürers Randzeichnungen; durch den Ankauf der Löwenjagd begründete er die heute größte Rubenssammlung der Welt. Bei Ausbruch des großen Krieges begann der Herzog mit der Neubefestigung Münchens nach niederländischem Muster; neben Ingolstadt wurde es Landesfestung und ständige Garnison. Sie wurde 1632 den Schweden kampflos übergeben. Der Festungsbau wurde 1638/40 vollendet; die Schweden Wrangels wagten es nicht mehr, sie zu berennen.

Die Kurfürstliche Haupt- und Residenzstadt im Zeitalter des Absolutismus. Barock und Aufklärung.

München war im Laufe des 16. Jahrhunderts aus einem vornehmlich bürgerlichen Handels- und Gewerbezentrum eines beschränkten Gebietes zur Residenz- und Hauptstadt eines sich vergrößernden Territoriums und einer aufstrebenden politischen Macht geworden, die seit dem 17. Jahrhundert auch eine Rolle in der europäischen Politik spielte. Seine Bevölkerung war um 1600 auf etwa 16 000 Menschen angewachsen und bis in den Anfangsjahren des Dreißigjährigen Krieges sogar bis auf 20 000 gestiegen. Die drückenden Besatzungs- und Pestjahre hatten den Bevölkerungsspiegel wieder auf nahezu 15 000 Einwohner sinken lassen. Dieser Verlust war erst im Jahre 1704 wieder aufgeholt (20 600). Von da ab stieg die Kurve bis zum Ende des 18. Jahrhunderts auf mehr als 36 000 Einwohner. Die Bevölkerung gehörte zwei Rechtskreisen und Gesellschaftsgruppen zu, die einen standen unter Hofschutz, auch wenn sie in der »rätischen« Stadt wohnten. Ein großer Aktenbestand über Streitigkeiten zwischen Hofrat und Magistrat aus der Zeit von 1551–1800 belehrt uns über die Spannungen, die zwischen Bürgern, Beisassen, Angehörigen des Hofes, Personen unter Hofschutz und exemtem Adel bestanden. Der Albertinische Rezeß von 1561, der die städtische Unabhängigkeit von der landesherrlichen Gewalt festlegte, grenzte die Personen unter Bürgerrecht vom Hofadel, von den Hofbeamten und Hofgesinde klar ab. Die Organe des Landes- und Stadtherrn versuchten die der Stadt im Rezeß gewährten Rechte fortdauernd einzuschränken und dem zahlenmäßig großen Bevölkerungsteil, der mitten unter der städtischen Einwohnerschaft lebte, aber dem Hofrecht

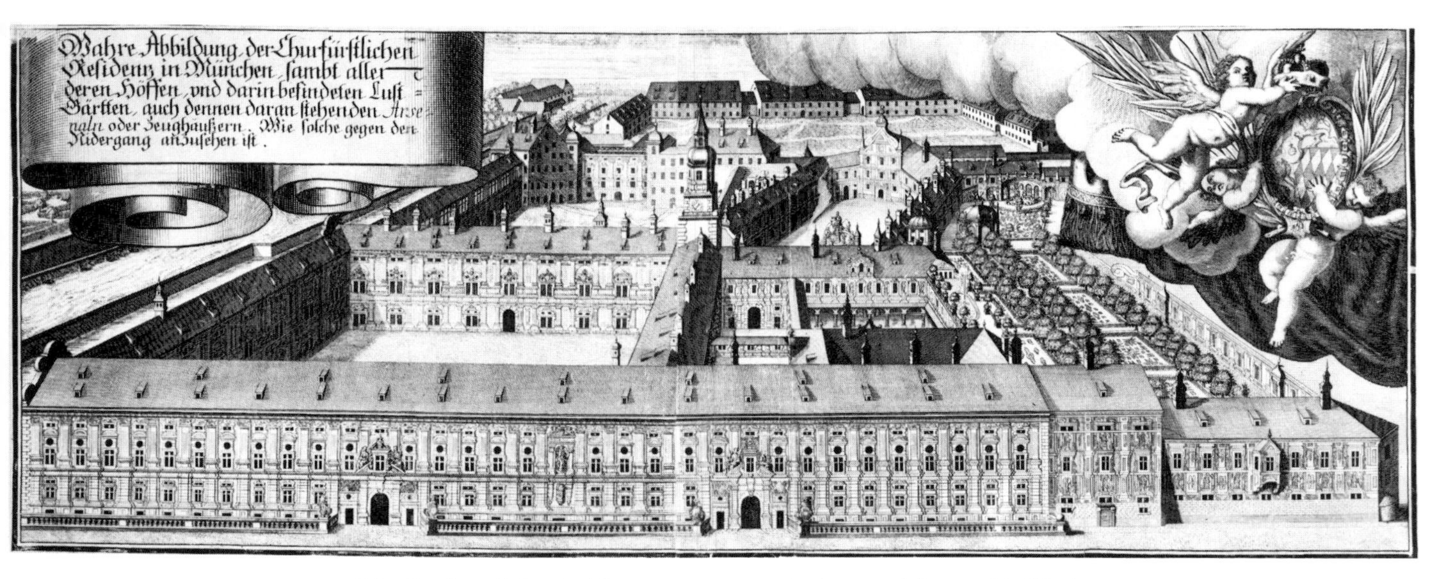

17 Die Kurfürstliche Residenz um 1600 nach einem Stich von M. Wening

unterstand, eine Sonderstellung zu sichern. Innerhalb der Bürgerschaft gab es wirtschaftliche und gesellschaftliche Gruppen, aber nur ein Recht. Das Wirtschaftsleben der Stadt war eindeutig von den Bedürfnissen des Hofes diktiert. Die Ballung von Hofhaltung und territorialer Zentralverwaltung zog immer mehr Menschen an, innerhalb der Stadtmauern Wohnung und Arbeit zu suchen; das ging weit über das Wirtschaftsvolumen der Bürgerstadt hinaus, umsomehr als die Lebensansprüche zusehends anstiegen. Das Vermögen von Stadt und Bürgerschaft wurde vollends durch die Zwangsinvestitionen beansprucht, die der Hof in Bauten, militärischen Vorbereitungen oder seiner Wirtschaftspolitik vornehmen ließ. Die Aufkäufe von Hof und Adel verkleinerten den Grundbesitz der Stadt, der in den Händen alter Bürgerfamilien lag und durch weitgehende Ewiggeldrechte belastet war. Das fiel deshalb ins Gewicht, weil die Kapitalanlagen der Münchener Bürgerschaft außerhalb des Burgfriedens der Stadt nicht sehr bedeutend waren und die Kapitalkraft dieser Bürgerschaft im allgemeinen relativ gering war bis in das 18. Jahrhundert hinein. Um die nötigen Vieheinkäufe tätigen zu können, sah sich die Metzgerzunft oft genug gezwungen, beim Rat der Stadt Anleihen aufzunehmen. Kaufmannschaft und Kramerzunft der Stadt konnten niemals Gewicht und Einfluß ihrer Genossen in den großen Städten Nürnberg und Augsburg erreichen. Das Blatt hat sich erst im 19. und 20. Jahrhundert zu

Gunsten der Landeshauptstadt gewendet. Es bedeutete eine große finanzielle Einbuße für die Finanzkraft der Stadt, daß Zwangsanleihen am Ende des 16. Jahrhunderts den Überschuß städtischer Einnahmen aus Zoll- und Wegegeldern aus der Stadtkämmerei in die landesherrlichen Kassen überleiteten. Parallel damit lief die Errichtung des landesherrlichen Salzmonopols, das die Wirtschaft der Bürgerstadt ins Mark traf. Die glänzende Hofhaltung der absolutistischen Zeit stand im umgekehrten Verhältnis zum wirtschaftlichen Niedergang der Bürgerstadt. Daß nicht alles Gold ist, was glänzt, zeigte sich sehr bald in der Schuldenwirtschaft des Hofes, besonders seit dem Kurfürsten Max Emmanuel. Man kann nicht Not, Bedrückung, niederen Lebensstandard der Menschen anderer Jahrhunderte frivol damit vergessen machen, daß man sagt, die heutigen Menschen hätten ja davon ihre finanziellen und kulturellen Vorteile. Man übersieht die Schäden, die aus den Opfern und Leiden oder Frustrationen anderer Menschen auf anderen Gebieten erwuchsen. Gegenstand der Geschichte auch einer Stadt ist der leidende ebenso wie der handelnde und siegreiche Mensch.

Neben Hofadel und Hofpersonal setzten sich im zentralistisch regierten Territorialstaat die Vertreter der obersten Verwaltung und des Wehrstandes seit dem 16. und 17. Jahrhundert an die Spitze aller Staatsbürger, besonders in den Residenzstädten, wo sie an den Höfen eine politische und gesellschaftliche Vorrangstellung genossen. Seit der Mitte des 17. Jahrhunderts waren die ehemaligen bürgerlichen Besitzfamilien im Leben der Stadt weitgehend zurückgedrängt. Die politische Entmachtung folgte dem sozialen und wirtschaftlichen Niedergang von Handel und Handwerk im Gesamtgeschehen der Stadt. Der Einfluß und die alte gesellschaftliche Stellung des Klerus konnte sich im 17. und 18. Jahrhundert allerdings erhalten. München hatte am Anfang des 16. Jahrhunderts eine Sättigung seiner gewerblichen Wirtschaft erreicht; das führte zu Absperrung und erschwertem Zugang in die Comune, die vor allem die zünftigen Gewerbe verlangten. Die Stadt hatte die Blüte ihrer selbständigen Wirtschaft bis zu diesem Zeitpunkt ihren Handwerkern und Kaufleuten zu verdanken. Die Kaufleute Münchens werden bis in das 17. Jahrhundert vornehmlich »Kramer« genannt; das allein läßt erkennen, daß der Handel keinen großen Umfang hatte. Kapitalmangel und Abhängigkeit von den mächtigen Handelsfirmen der Reichsstädte waren schuld daran. Aber im 18. Jahrhundert war in dem sich als Zunft der Handelsleute bezeichnenden Kaufmannsstand eine solche Veränderung, daß er bei der Erhebung Bayerns zum Königreich 1806 in gleichstarke Konkurrenz mit Augsburg und Nürnberg treten konnte. In München entwickelte sich das Handwerk stärker als der Handel bis zum Beginn der Moderne, wo noch drei Viertel aller bürgerlichen Berufe Handwerk betrieben. Diese bürgerlichen Handwerker lebten großenteils von Hofaufträgen. Ihre »Zünfte« hemmten im Zeitalter des Merkantilsystems das

Wirtschaftsleben; sie wurden durch die Gilden- und Gewerbereglements des absolutistischen Staates seit dem Ende des 17. Jahrhunderts ausgehöhlt; ihre monopolartigen Vorrechte und Privilegien durchbrach seit der gleichen Zeit auch die Konkurrenz der Frei- oder Dorfhandwerker. Die dynastische Expansionspolitik der Wittelsbacher belastete im 17./18. Jahrhundert die Wirtschaftskraft von Stadt und Land in höchstem Maße. Erhöhungen des Steuer- und Zollaufkommens sowie Währungsverschlechterung hatten ständige fiskalische Eingriffe in Handel und Gewerbe zur Folge, gegen die man protestierte und sich zur Wehr setzte. Münchens Handel und Gewerbe opponierten gegen die fürstliche Tuchfabrik in der Au und gegen die Pläne von Gründungen monopolistischer Handelsgesellschaften (Öl, Tabak). Ziel dieses Regiebetriebes war es, Militär und Staatsbeamte mit billigem Tuch zu versorgen und den großen Import ausländischer Stoffe nach Bayern zu dämpfen. Der Betrieb litt von Anfang an unter Facharbeitermangel und mußte schon in den zwanziger Jahren des 18. Jahrhunderts seine Produktion weitgehend einschränken. Der Hof wollte sie deshalb in die Hände freier Unternehmer aus der Zahl Münchener Kaufleute legen. Andere kurfürstliche Manufakturen und Fabriken wie die 1720 errichtete Tapeten- und die 1764 gegründete Cottonfabrik oder die von Privatleuten betriebene Strumpffabrik wurden nur dadurch konkurrenzfähig erhalten, daß man sie von den einengenden Vorschriften befreite. Eine Ausnahme machte nur die 1758 in Betrieb genommene Nymphenburger Porzellanmanufaktur, deren ausgezeichnete Qualitätserzeugnisse einen guten Absatz fanden. Der Hof gab die ersten Anregungen zur Errichtung dieser Unternehmen, mußte sie aber dann der freien Unternehmerinitiative übergeben, damit sie sich gegenüber der auswärtigen Konkurrenz behaupten konnten. Am Ende des 18. Jahrhunderts florierten in München zwölf Unternehmen dieser Art. Hauptanliegen dieser staatlichen Gründungen war es, durch gesteigerte Produktion und zunehmendes Wachstum des Großgewerbes sowohl den anschwellenden Aufwand der Hofhaltung und die stetig zunehmenden Lebensansprüche aller Stände, des Adels, der Bürger und Bauern, aus eigener Produktion im Lande zu decken. Sozialprodukt und Güterkonsum waren in der Spanne vom 16. bis zum 18. Jahrhundert ganz bedeutend angestiegen.

Münchens Wirtschaft hatte unter den Verheerungen des Dreißigjährigen Krieges schwer gelitten, sein blühendes Handwerk war hart getroffen, vor allem die Textilproduktion lag sehr darnieder, Gold- und Waffenschmiede waren stark zurückgegangen. Die Kassen der Stadt waren leer und das Gemeinwesen durch die

18 (S. 60/61) Stadtplan der Kurfürstlichen Hof- und Residenzstadt aus dem 17. Jahrhundert

Erklerung etlicher Fur:
nhemer öhrter dieser Statt.
1 Unser L. Frawē S. Mariæ Pfarkirchen
2 S. Peters Pfarr kirchen
3 Churfurstl: Durchl: Hertzog
Maximiliani hoff Capel
4 H. Jesuiter Collegium und
Kirchen S. Michael
5 Heilig geist Kirchen und Spital
6 S. Augustini Kloster
7 Franciscaner oder Barfueser Kloster
8 Capuciner Kloster
9 Unser L. Frauen Gottsacker
10 S. Peters Gottsacker
11 und 12. Regell heußer oder
Frauen Kloster
13 S. Jacobs Kloster und Frauen
Kloster darum Jarlich die Dult
14 Alten hoff Capell
15 S. Sebastian Capell Fr. Dr. Hertzog
Ferdinandi Seeliger Kirchen
16 S. Nicolaus Kirchen
17 S. Rochus Capell fur die Pilgram
18 Neustifft Kirch
19 S. Sebastian. 20. S. Anna Kirchen
21 Ihr Churfurstl: Durchl: Hertzogn
Maximil: residens und hoffhaltung
22 Furstl: Durchl: Hertzogn Wilhelmi
bau und behausung
23 Furstl: Durchl: Hertzogn Alberti
hoffhaltung und behausung
24 Altenhoff hoffkammer Can:
celeij und Libereij
25 H. G. von Rechberg behausung
26 Statt Rhatthaus und Rhatthurn
27 Der Landtschafft hauß
28 Churfurstl. Palatium
29 Hertzogen Statt Thor
30 Unsers Herrn Thor
31 Wurtzer Thor. 32. Isser Thor
33 Schiffer Thor
34 Churfurstl: Durchl: Zeughauß
35 Statt Zeughauß
36 Hoffthaltung. 37. Schone thurn
38 Blau Andt thurn
39 Nudl thurn
40 Hoffgraben. 41. Gracken Auw
42 Leder gaßn
43 Nischer gaßen
44 Ferber graben
45 Auffm Kreÿtz
46 Enge gaßn
47 Schäfler gaßn
48 Bey der Roß schwem
49 Lueg ins Landt
50 Neu hauser Thor
51 Zeughauser
Churfurstl. Lustgarten
Strass auf Nurnberg
Strass auf Augspurg
Marckt
Statt graben
MONACHIUM
vulgo
MUNCHEN
ELECTORIS BAVARIÆ

ISARA FLVVIVS
Holz Rechen
Straß nach Saltzburg
Iser Bruck
Gries
Gries
ISER FLVS
Auffm Gries
Hopffen garten
Sew stall
Sög Muhll
Kalk Muhll
Anger
Anger
Auff der Swaig
Sew Stall
Heilig Geist Anger
New Pulver Muhll
Die Ober
Blaich
Blaich

Zwangsdarlehen an den Kurfürsten verschuldet. Trotzdem setzte ein neues gesteigertes Leben am Hofe und in der Residenzstadt ein, als 1652 Henriette Adelaide von Savoyen, eine Enkelin des französischen Königs Heinrich IV. und der Maria Medici, die ihre Mutter an den Sonnenkönig zu Paris gerne verheiraten wollte, an der Seite des Kurfürsten Ferdinand Maria am Hofe zu München Einzug hielt. Ihr Einfluß drängte spanische Formen zurück, mit ihr kamen Reifrock und Perücke vom Hofe Ludwigs XIV. Unter den drei Kurfürsten Ferdinand Maria (1651 bis 1679), Max Emanuel (1679–1726) und Karl VII. Albrecht (1726–1745) genoß München den Ruf, einer der prächtigsten Höfe Europas zu sein; man stellte ihn Versailles zur Seite; jedenfalls datiert seitdem das stille Verlangen der Fürsten, ihrer Stadt etwas vom Glanz des unsterblichen Paris und von der Pracht italienischer Städte zu geben. Man hat zu Zeiten vom Nachahmungstrieb der Wittelsbacher gelästert und deren »unoriginale« Kunstpflege verkleinern wollen. Wir haben heute differenziertere Vorstellungen von Genialität, Originalität und Klassik im Zeitalter des Teamworks und der Serienuntersuchungen. Die Prunkfeste am Hofe wurden mit verschwenderischer Pracht gefeiert. Opern, Kommödien, Kammermusik und Ballett, Ritter- und Turnierspiele, Fastnachtsrennen, Karussells, Schäferspiele, Gondelfahrten, Schlittenfahrten und Jagden, maskierte Akademien und »Bauernhochzeiten« nahmen nicht nur für Tage, ja Wochen die Hofgesellschaft in Anspruch, sondern brachten auch einen großen Schein von Fest und Freude in das graue und einfache Leben der Bürger, der Arbeiter und Bauern, die sich am Zuschauen belustigten und vergnügten. Der »Serenissimus«, seine Frau und Kinder traten selber bei den Darbietungen auf. Fest und Prunk, Plastik und Malerei, Oper und Drama aber dienten der Darstellung des idealen Fürsten, der halb Gott, halb Mensch schien und sich in Form und Gewand der antiken Heroen der Hofgesellschaft und dem Volk präsentierte. Es war ein echter Nachklang der Renaissance, die im »Principe« des Machiavelli eine fürstliche Idealfigur vorgestellt hatte. Aber im romanischen Barock war alles noch ein letztes Mal getaucht in die mittelalterliche Grundvorstellung von der Doppelgestalt des christlichen Herrschers, der mit einem Fuß als »Theokrat« im Himmel stand und höchste Autorität für sich fordern konnte, mit dem andern aber als feudaler Oberlehensherr inmitten seiner Adelsgenossen und seiner Hofgesellschaft auf dieser Erde verankert war und deren »Rat und Hilfe«, Mitsprache und Mitregiment annehmen mußte. Man muß sich Residenz und Hofgarten, Nymphenburg mit Amalien- und Pagodenburg und Park, den Marktplatz mit dem großen Festzelt belebt und gefüllt von einer großen festlichen Hofgesellschaft in ihrer überreichen Mode und mit ihrer wohlabgezirkelten Etikette und steifen Gebärde vorstellen, hinter der sich eine überschäumende Vitalität kaum bändigen ließ, um sich post festum noch eine schwache Vorstellung vom barocken Hofleben in der

Residenzstadt München zu machen. Die Schloß- und Residenzbauten wirken auf uns Nachgeborene noch durch ihre großartige Monumentalität, sonst aber sind sie in Museen verwandelt und zu modernen Zwecken nutzvoll verwendet; daß sie Ausdruck eines gesteigerten Lebensgefühls und eines Lebensstils, Manifestation des barocken Herrscher- und Gesellschaftsideals sein wollten, das verspüren wir kaum mehr oder nur in besonderen Stunden einfühlender Hingabe. Santurini erbaute 1651–1657 am Salvatorplatz den ersten selbständigen Theaterbau auf deutschem Boden, ein Opernhaus, das 1802 abgebrochen wurde; hier zog die italienische Oper ein. Derselbe Santurini erbaute für Hoffeste 1663 nach venetianischen Vorbildern das Prunkschiff »Bucentaurus« auf dem Starnberger See. Daß bis heute auf dem Oktoberfest ein »Bucentaurus« die Besucher zu froher Weinlaune einlädt, gehört zu den Besonderheiten Münchener Traditionspflege, die sich gerade dem Glanz vergangener Fürstenherrlichkeit in lebendiger Erinnerung verbunden weiß.

In dem Festgewand, das sich neben die bürgerliche Gotik stellte und über das einheimisch Bayerische breitete, nimmt der mit der Kurfürstin Adelaide einziehende, aus Italien und Graubünden stammende Barock eine besondere Stelle ein. Er hat seinen eigenwilligsten Münchener Ausdruck in den Zwiebeltürmen der Theatinerkirche gefunden, die Barelli und Zuccali gebaut (1663 begonnen, 1675 geweiht), deren Fassade Cuvilliés hundert Jahre später vollendet hat. Dieser »Hofbarock«, der in den Kloster-, Wallfahrts- und Dorfkirchen des bayerischen Landes zum »Volksbarock« wurde und sich vom »Reichsbarock« Wiens und Frankens deutlich abhob, setzte in München eine bedeutende Renaissancekunst fort, die in der Michaelskirche einen großen Kultraum schuf. Das zweite einzigartige Monument des Hofbarock neben der Theatinerkirche wurde das Prunkschloß zu Nymphenburg, an dem Barelli, Viscardi und Effner gebaut haben. Diese »maison de plaisance« war als Geschenk an die Kurfürstin zur Geburt des Thronfolgers Max Emanuel gedacht. Die »rhythmisch durchgegliederte Dorfanlage ist ohne Vorbild und einzigartig in Europa« (Braunfels), sie ist auch Ausdruck des europäischen Anspruchs der Wittelsbacher, der die Kräfte ihres Landes überfordert hat. Das gilt auch von Schloß Schleißheim, das Max Emanuel seit 1700 durch Zuccali und Effner errichten ließ. Barock und Rokoko haben das Gesicht der Stadt verwandelt und sie zu einer »verzauberten Insel« gemacht. Dieser Lebens- und Kunstform schuf in der Amalienburg (1730–1740) im Schloßgarten zu Nymphenburg, in den Reichen Zimmern der Residenz (1730–1787) und in der neuen kurfürstlichen Oper (1750–1753) François Cuvilliés der Ältere einen klassischen Ausdruck; Jakob Burckhardt nannte es »schönstes Rokoko der Welt«. Fremde Künstler und fürstliche Ratgeber (Theatinermönche) hatten dieses Werk begonnen, einheimische kamen nach, die sich in Italien und Frankreich ausgebildet

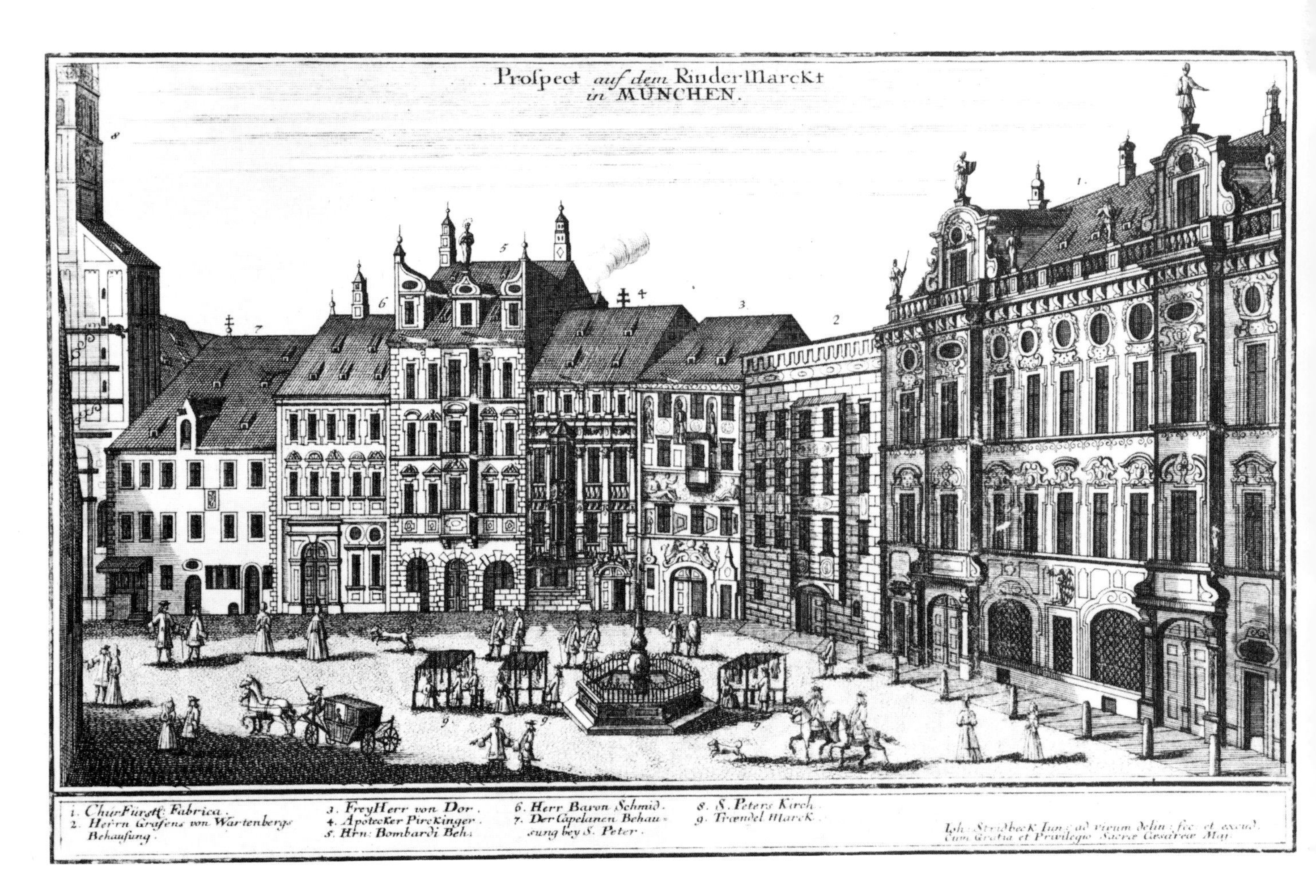

19 Der Rindermarkt in München. Stich von J. Stridbeck um 1690

hatten und dann den übernommenen Formen und Farben eine bayerische Seele einhauchten und einen bayerischen Glanz gaben.
Schon seit Ferdinand Maria und seinem bedeutenden Kanzler Kaspar von Schmid pendelte bayerische Politik zwischen Reich, Habsburg und Frankreich, zwischen den großen Mächten des kontinentalen Europa, die um die Hegemonie rangen. Es war aber eine Emanzipation von der heimischen Kraftquelle und ein Abstieg, als Kurfürst Max Emanuel von 1692–1701 mit dem ganzen Hof als Statthalter der spanischen Krone nach Brüssel ging, weil er hoffte, daß der mit einer habsburgischen Kaisertochter gezeugte Kronprinz Josef Ferdinand seinem Hause das spanische Weltreich einbringen würde, dessen Monarch kinderlos war. Das Schicksal meinte es gut mit Bayern, daß dieser Anwärter auf eine Weltmacht starb; denn die Kräfte des Landes konnten die sprunghafte und unbeherrschte Politik des halb genialischen, halb ungebändigten Barockmenschen Max Emanuel kaum bezahlen und ertragen. Es war typisch für ihn, daß schon der große österreichische Feldherr Prinz Eugen sagte, man müsse diesem Draufgänger in den Schlachten, die er für Habsburg schlug, einen »Moderator« beigeben, damit nicht der anfängliche Sieg sich in eine Niederlage verwandle; es war auch typisch für den »Blauen König«, daß er nach dem Tode seines Sohnes sich auf die Seite Frankreichs schlug, ein totaler Wechsel der politischen Richtung wenigstens in dieser Situation. Dadurch wurden Stadt und Land in den europäischen Krieg um die spanische Erbschaft hineingezogen. Der Einzug österreichischer Regimenter und eine jahrelange Besatzung bis 1715, die Übernahme der Landesregierung durch eine kaiserliche Administration, die ihren Sitz in der Maxburg nahm, schließlich die Erhebung der bayerischen Bauern des Ober- und Unterlandes, die mit der Sendlinger Mordweihnacht vor den Toren der Residenzstadt ein grausames Ende in Oberbayern fand, war der allzu hohe Preis, den München und das Land für den »Kaisertraum« der Wittelsbacher und ihre europäischen Großmachtallüren zu bezahlen hatten. Und doch haben Not, Terror, Tod die Münchener und die Landeskinder nicht daran gehindert, den Kurfürsten als Retter von der habsburgischen Tyrannei begeistert bei seiner Rückkehr zu begrüßen; sie wußten kaum, daß er sein Land gegen belgisches oder italienisches Territorium vertauschen wollte. Und doch wäre München um ein Haar noch kaiserliche Residenzstadt geworden, als der wittelsbachische Traum für drei Jahre (1742–1745) durch Karl VII. Albrecht Wirklichkeit gewann, der am 12. Februar 1742 in der Bartholomäuskirche zu Frankfurt zum deutschen Kaiser gekrönt wurde. Das war freilich nur möglich geworden im Schatten der Auseinandersetzungen zwischen den beiden deutschen Großmächten Österreich und Preußen, zwischen der Kaiserin Maria Theresia und König Friedrich dem Großen, die wir als österreichischen Erbfolgekrieg bezeichnen. Wie schwach Bayern

war, zeigt die Tatsache, daß am Tage der Kaiserkrönung in Frankfurt schon die Wenzel-Husaren der Kaiserin vor dem Münchener Isartor standen und die »Haupt- und Residenzstadt« abermals bis zum Oktober 1744 von den Österreichern besetzt blieb. Der landflüchtige Kurfürst und Schattenkaiser hielt Hof zu Frankfurt und kehrte nur zum Sterben in den leerstehenden Barockglanz seiner Residenz an der Isar zurück. So kam München um die Wiederholung des Ruhmes einer kaiserlichen Residenz vor dem Ende des Alten Reiches.

Hinter der strahlenden Fassade, die prachtliebende und baufreudige Barockfürsten durch große fremde und einheimische Künstler und Meister des Barock und des Rocaille errichten ließen, krachte seit den Zeiten des Wittelsbacherkaisers das Gebälk des Staatsgebäudes, war das finanzielle Gerüst bereits morsch geworden und drohte dauernd der Bankerott, wandelte sich bereits der Geist einer alten Gesellschaft und Kultur zum Rationalismus und zur Aufklärung, die aus einer neuen Philosophie des Selbstbewußtseins, aus einer intensiven Naturbeobachtung und einer empirischen Naturlehre, aus einer neuen Auffassung von Menschen, Welt und Gott aufbrachen. Man diskutierte bereits seit Karl VII. Säkularisationspläne für die geistlichen Anstalten, man errichtete eine ständige Schuldenabledigungskommission, die den bankerotten Finanzhaushalt von Hof und Territorium sanieren sollte. Unter seinem Sohn Max III. Josef (1745–1777), einem aufgeklärten Absolutisten, begannen sich auch in Bayern die Grundstrukturen der alten Welt zu verwandeln, das christliche Fundament des Lebens, Denkens, der Kultur, das immer noch trotz absolutistischer Nivellierungstendenzen halbfeudale Gefüge von Staat und Gesellschaft mit seinen Unter- und Überordnungen, mit seinen autonomen und delegierten Herrschaftsrechten neben Landesherrn und Souverän. Langsam bereitete sich eine fundamentale Demokratisierung der Gesellschaft vor, säkularisierten sich Denken und Handeln der Menschen, traten Haus und Hof als Zentren familiären und gesellschaftlichen Lebens zurück und wichen zusehends einem stetig sich erweiternden Raum der Öffentlichkeit. Rationalität des Denkens und Handelns kamen mit der Wendung zur Empirie, zur Natur, zur Technik und zur Industrie, zum modernen souveränen Monopol-, Gesetzes-, Polizei-, Verfassungsstaat, dazu Aufklärung als Emanzipation von den geistigen Schranken des alten Menschen wie auch als Erweiterung der Bildung und des menschlichen Horizonts für alle, in Zusammenhang damit Publizität durch Einbeziehen von immer mehr Menschen und Gruppen in das Wissen um die öffentlichen staatlich-politischen Dinge und in die Kontrolle über sie.

Dieser grundlegende Strukturwandel von Gesellschaft und Kultur zeichnete sich auch in Antlitz und Geist der Stadt und ihrer Menschen ab. Im nächsten Halbjahrhundert bis zum Klassizismus Fischers und Klenzes und bis zur patrimo-

20 Salzstadel an der Arnulfstraße (Staatliches Salzmonopol). Sepia-Aquarell von C. Steinicken 1854

nialen Restauration und Reaktion Ludwigs I. gab es in München nur rationale Zweckbauten, die dem aufgeklärten und humanitären Philanthropismus dieser Zeit entsprachen: eine neue Brücke über die Isar, die Hauptwache am Marktplatz, das Militärlazarett in der Müllerstraße, die neuen Salzstädel an der Arnulfstraße, das Feuerhaus am Jakobsplatz, das Armenhaus am Gasteig, die Kaserne des Leibregiments im Hofgarten. Der Geist des Rokoko erschöpfte sich in müder Resignation und lähmender Selbstkritik gerade derer, die die alte Gesellschaft trugen und die sich selber den Ast absägten, auf dem sie saßen. Die Französische Revolution von 1789 ist eingeleitet worden durch die alten Stände, die den König zwangen, den Gesamtlandtag, die Generalstände, die Gesamtvertretung von Volk und Land einzuberufen. In München und Bayern legte sich das Rokoko bereits mit dem einheimischen Fürstengeschlecht der bayerischen Wittelsbacher schlafen, die mit Max III. ausstarben; sie gehen in direkter Linie auf die Grafen von Scheyern und die Hochstiftsvögte von Freising aus der Mitte des 11. Jahrhunderts zurück. Um ihre Nachfolge brach auf dem Immerwährenden Reichstag zu Regensburg (seit 1363) ein heftiger Disput mit Metern von Denkschriften über den Reichslehnscharakter des bayerischen Territoriums aus; dahinter versteckte sich der habsburgische Appetit auf bayerisches Gebiet, der mit vierhundert Jahre alten Familienverträgen (mit Bayern-Straubing) begründet wurde. Zum zweiten Male wurde Bayern durch Preußen und Frankreich aus der expansionslüsternen Hand Habsburgs befreit.

Als dann 1777 der landfremde pfälzische Wittelsbacher Karl Theodor, vorher Teilfürst von Neuburg-Sulzbach, dann Kurfürst von der Pfalz und Herr von Jülich und Berg, der sich im Ausbau von Mannheim als wahrer Mäzen von Kunst und Wissenschaft gezeigt hatte, nach München kam und viele landfremde Berater vom Rhein (von unten herauf = Unerufer) mit an die Isar brachte, da erzeugte das nicht nur Ablehnung und Dissonanz in München, sondern kündete auch den Anbruch der Spätaufklärung und einer neuen Zeit an. Diese fanden ihren Ausdruck in den an der Landesuniversität zu Ingolstadt unter Weishaupt besonders lebendigen, aber auch in München sehr rührigen Geheimgesellschaft der »Illuminaten«, der viele Intellektuelle und Geistliche angehörten, darunter auch der junge Maximilian von Montgelas aus savoyardischem Geschlecht, der in der Zensurstelle der Regierung tätig war, dann aber nach Entdeckung, ungerecht harter Verfolgung und Aufhebung des Ordens seinen Dienst quittieren mußte und in die Regierung von Pfalz-Zweibrücken ging, der nächsten wittelsbachischen Erben, da auch Karl Theodor 1799 kinderlos starb. Mit Hilfe Preußens und Frankreichs konnte Montgelas von der Pfalz aus es verhindern, daß der mit einer habsburgischen Prinzessin verheiratete Kurfürst das Land gegen ein anderes an den Kaiser verschacherte. Charakteristisch für seine Regierung war auch der enge Kontakt mit der römischen Kurie, die eine besondere Besteuerung (Dezination) der Klöster billigte, eine Nuntiatur in München errichtete, als der sehr weltliche Hofgeistliche Höffelin die Idee der Errichtung eines Hofbistums in München wieder aufgriff, aber nicht verwirklichen konnte. Man kann nicht sagen, daß die Regierung des Kurfürsten Karl Theodor in Bayern sehr erfolgreich war.

München wurde seit Kurfürst Maximilian I. immer wieder das »Deutsche Rom« genannt. Das drückte sich aus in der Vielzahl neuer und im Umbau alter Kirchenbauten zwischen 1600 und 1750. Neue Orden wurden berufen, neue

Klöster gegründet; 1760 lagen 17 Klöster im Burgfrieden der Stadt. Aus diesen ragten die Kapuziner, Paulaner, Englische Fräulein, Karmeliten, Salesianerinnen, Theatiner, Servitinen, Chorfrauen von Notre Dame, Oratorianer oder Nerianer besonders hervor. Die Geistlichen machten 1760 etwa vier Prozent der Bevölkerung (1000 von 30 000) aus und die geistlichen Gebäude und Areale bedeckten etwa ein Fünftel oder Viertel des Stadtgebietes. Es waren im wesentlichen neue Orden, die die religiösen Impulse katholischer Reform zu verwirklichen suchten, die vom Konzil von Trient ausgegangen waren und sich langsam auch im Lande nördlich der Alpen durchsetzten. Die Jesuiten, Kurfürst Maximilian I. und die neuen Orden haben dem Geist und der Frömmigkeit des Barock in dieser Stadt zum Siege verholfen. Die alten Prälatenorden auf dem Lande draußen, die Augustiner Chorherren und die Benediktiner aber haben dem Geist der neuen Wissenschaften, die im Westen und im Süden sich kräftig entfalteten, Wege in die Hauptstadt geebnet. Männer wie der Prälat Töpsl und sein Konventuale Eusebius Amort in Polling, wie Gelasius Hieber, Agnellus Kandler oder die Prälaten Martin Kraus, Frobenius Forster von St. Emmeram oder Anselm Desing von Ensdorf, Mönche von universalem Bildungshorizont, haben als Vertreter der katholischen Frühaufklärung das Ethos der neuen Wissenschaft und Ideen eines neuen Verhältnisses von Staat und Kirche, Kirche und Welt aus Paris, aus Frankreich und Italien hereingeholt und ihm auch in Bayern eine neue Heimstatt bereitet. Die Gründung der Akademie in Paris, der Royal Society in London und neuer Akademieinstitute in Italien gab den Auftakt zu einer sehr lebhaften Akademiebewegung in Europa, zu deren geistigen Urvätern in Deutschland Leibniz, aber auch Christian Wolff zu zählen sind. Literarische Unternehmungen von einiger Bedeutung wie die »Nutz- und Lust erweckende Gesellschaft der vertrauten Nachbarn am Isarstrom« von 1702 und vor allem der »Parnassus Boicus«, den die obengenannten Ordensleute 1722 gründeten, ebneten die Wege für die Gründung der Bayerischen Akademie der Wissenschaften im Jahre 1759, deren Gründer Linprun und Lori, der Hof- und Kommerzienrat Stubenrauch, der Mathematikprofessor Stigler und der Hofkaplan Wagenegger waren, an deren Wiege aber auch der Schottenmönch Ildephons Kennedy von St. Jakob in Regensburg wie der französische Elsässer Pfeffel standen; letzterer hatte entscheidend an dem großen Quellenwerk zur bayerischen Geschichte, den Monumenta Boica, zusammen mit Lori, Kennedy und Scholliner mitgewirkt.
Eine neue Welle freigeistiger Aufklärung setzte ein, als Ickstatt, Schüler des deutschen Aufklärungsphilosophen Christian Wolff, aus Norddeutschland über Würzburg und Ingolstadt nach München kam und der ehemals protestantische Konvertit Peter von Osterwald neue Gedanken über ein bayerisches Staatskirchentum entwarf und der »eigentliche Philosoph des neuen bayerischen Geisteslebens«

21 Der »Grüne Baum« an der Isarfloßlände. Stich von F. Jungwierth 1767

wurde. Durch Männer dieser Art erfolgte der Anschluß Münchens an das geistige Leben Norddeutschlands und ganz Deutschlands. In überängstlicher Sorge um den Bestand der religiösen Einheit hatte man jede Neuerung ferngehalten und war voll Argwohn gegen den geistigen Fortschritt und gegen Gelehrsamkeit. Zwar wird man heute dem einseitigen Urteil der »Geschichte der bayerischen Akademie der Wissenschaften« des Akademikers Lorenz Westenrieder nicht mehr ganz zustimmen, der von einem »Zustand der dicksten Finsternis« in München und Bayern sprach; jedoch war es eine Tatsache, daß Orden und Gesellschaften den Unterricht der Jugend fast ausschließlich leiteten. Das aber mußte im Jahrhundert der »Aufklärung« nicht nur eine Verengung des geistigen Horizonts der Menschen bedeuten, sondern auch als solche empfunden werden. Die Wortführer einer geistig-kulturellen Neubelebung waren vor allem Beamte und selbst Geistliche. Duldung = Toleranz war eines der großen Zugeständnisse an die Zeit. Max III. Joseph gewährte den Protestanten in München freie Religionsausübung und erließ ein eigenes Toleranzpatent. Max IV. Joseph gab den Grundsatz ausschließlicher Katholizität zu Anfang des 19. Jahrhunderts auf und führte die Parität der christlichen Bekenntnisse im staatlichen Leben Bayerns ein. Kurz zuvor war auch dem ersten Protestanten Bürgerrecht in München gewährt worden. Seit der Mitte des 18. Jahrhunderts baute sich in München demnach nach dem Hofadel und den Hofbeamten eine neue Schicht bürgerlicher Beamter, Gelehrter, Geistlicher auf, die aber das gemeinsame Merkmal des aufgeklärten Intellektualismus einte. In zunehmendem Maße kamen in ihr und durch sie nichteinheimische Kräfte hoch, so vor allem die »Unerufer« Karl Theodors. Diese bürgerliche Intelligenzschicht, die zumeist im Dienste des Kurfürsten und seiner Regierung stand, lehnte sich noch nicht gegen die feudalen und orthodoxkirchlichen Mächte auf, obwohl sie das Ideal einer neuen Menschenwürde und ein tiefes Gefühl geistiger Befreiung beseelte. Zuversicht, Glücksgefühl (Eudaimonismus), Optimismus beflügelte diese gesamteuropäische Bewegung, deren »Glaube« Vernunft heißt, die sich in der »Erfahrung« bestätigt. Diese bürgerliche Intelligenz hatte aber mit dem Wirtschafts- und Stadtbürgertum nicht sehr viel mehr als die unadelige Abstammung gemeinsam, sie wurde auch zumeist geadelt. Das bedeutete zunächst eine Vertiefung der gesellschaftlichen Spaltung zwischen Residenz- und Bürgerstadt, zwischen den Menschen der wirkenden und werbenden Hand und der intellektuellen Oberschicht. Aufklärung, Französische Revolution, die Erfahrung der Befreiungskriege haben diese Dissonanz zwischen Bürgertum und Intellektuellen weitgehend überbrückt und ausgeglichen. An die Stelle des Gegensatzes von Adel und Bürger trat die zunehmende Spannung zwischen Besitzbürgertum, Arbeiterschaft und Proletariat. Gegen den autokratischen König Ludwig I. protestierten 1848 Bürger, Studenten, Professoren, Intellektuelle. Diesen Ausgleich hat seit dem 18. Jahrhundert eine sich festigende Publizistik in München angebahnt.

Daß Aufklärung gesellschaftliche Schranken abbaute, verdankt sie ihrem regen Bemühen um die Bildungsmöglichkeiten des Volkes, ihrer Sorge um die deutsche Sprache, Dichtung und Redekunst sowie ihrer Wissen, Bildung, Informationen verbreitenden Publizistik. »Bayern« hat 1770 die allgemeine Schulpflicht eingeführt. Der Schöpfer des modernen Schulwesens war der Tegernseer Benediktiner Heinrich Braun, dem Ickstatt, der Pädagoge Fronhofer, der Priester und Rektor Anton Bucher helfend zur Seite traten. Träger und Vorkämpfer des neuen Geistes auf dem Felde der Bildung, Erziehung, Sprache und Dichtung waren der Priester Anton Bucher, Leiter der deutschen Schulen in München, der »Prachtstücke des bayerischen Schrifttums von großem geschichtlichem Werte« schuf, dann ein zweiter Münchener, Andreas Zaupser, Wortführer der neuen Ideen und Hasser aller Hemmungen, Verfasser von Oden und eines neuen bayerischen Wörterbuches, und ein dritter Münchener, Lorenz Westenrieder, Verfechter einer katholischen Aufklärung und Publizist im Dienste der zeitgenössischen Forderungen. Im Dienste der Aufklärung popularisierten Journale für alle Zweige der Wissenschaft deren Ergebnisse und informierten weite bürgerliche Kreise. Viel gelesen wurden die »Churbayerischen Intelligenzblätter« seit 1766. Ihr Herausgeber war der in München seit 1753 ansässige Hofkammer-, Maut- und Kommerzienrat Kohlbrenner. Die erste »inländische« Wochenschrift »Der Patriot in Baiern« gab 1769 Heinrich Braun heraus, ein zeitgemäßes Konkurrenzunternehmen zu Ettenhubers »Münchener Wochenblatt in Versen« (1759). Westenrieder trat 1779 mit seiner Zeitschrift »Baierische Beiträge zur schönen und nützlichen Literatur« auf den Plan, die er 1782/83 mit dem »Jahrbuch der Geschichte der Menschheit in Baiern« fortsetzte. Im Verlag des fortschrittlichen Buchhändlers Craetz gaben seit 1779 zwei junge Geistliche, J. Schmid und J. A. Milbiller, in Verbindung mit Förg und Rittershausen den »Zuschauer in Baiern« heraus, ein kritisches Blatt »zur Befehdung menschlicher Torheiten«. Die Spätaufklärung war in München zum Teil von Geistlichen getragen.

Karl Theodor brachte für München und Bayern keine Sympathien auf, das Volk lehnte ihn bis zum Tode ab. Nur die Aufgeklärten erwarteten Großes von ihm, weil sie wußten, daß er seine Residenzstadt Mannheim nicht nur städtebaulich ausgestaltet, sondern sie auch zu einem Zentrum der Geisteskultur mit einem Aufwand von 35 000 000 Gulden gemacht hatte. Ihm eilte der hohe Ruf seiner Hofkapelle, seiner Musikschule, seiner Akademie der Künste (1757), der Akademie der Wissenschaften (1763), der »Teutschen Gesellschaft zur Pflege der deutschen Sprache und Literatur«, seiner Kupferstich- und der von Goethe angeregten Antikensammlung voraus. Mit ihm übersiedelte der ganze kurpfälzische Hof

22 Kostüme und Trachten in und um München. Aquarell von Jos. Mettenleitner 1810

nach München, etwa 2–3000 Personen, die nicht wenig zur Unbeliebtheit des Fremden beitrugen, da sie wie der Kurfürst offen ihre Abneigung gegen die neue Residenz und gegen die Altbayern zeigten. Trotzdem darf man den Zuwachs an bedeutenden Kräften, die München damit gewann, nicht unterschätzen. Da kamen Künstlerfamilien wie die Kobell, Quaglio und Piloty, die Düsseldorfer und Pfälzer Mannlich, die Langer mit ihrem Akademieanhang. Und München hat sie doch alle verwandelt. Es ist das eigenartige Charisma dieser Stadt gewesen und

geblieben, daß sich das Münchnerische umso stärker ausprägte, je mehr sie sich dem Fremden und der Zeit öffnete, die hier einströmten. Unter Karl Theodor herrschte aber nach dem Verbot des Illuminatenordens in München eine dumpfe Schwüle und gärende Unzufriedenheit; das geistige Leben stagnierte. Reaktion und Fortschritt standen sich so schroff gegenüber, daß Spannkraft und Aufstieg dadurch gelähmt wurden. Lorenz Westenrieder, aber auch der Berliner Aufklärer Friedrich Nicolai (1781) haben diesem Übel treffenden Ausdruck verliehen. Unter der Leitung des Exjesuiten Ignaz Frank und des Geheimrats von Lippert wurde die Zensur rücksichtslos gehandhabt. Die Münchener mußten nach dem freisingischen Föhring wandern, wenn sie die in ihrer Stadt verbotenen Journale und Bücher lesen wollten.
Trotz allem ist es das Verdienst Karl Theodors, die Tore seiner Residenzstadt und ihrer Hofanlagen weit für den stetig wachsenden Strom von Menschen geöffnet und die unnahbare Grenze zwischen Hof und Bürgern abgebaut zu haben. Im Jahre 1791 wurden die Festungswerke vor dem Neuhauser Tor niedergelegt und dann nach und nach die ganze 4,8 Kilometer lange Stadtmauer geschleift. Damit war die Voraussetzung für eine große städtebauliche Entfaltung geschaffen; denn München zählte 1781 37 840 Einwohner in rund 1700 Häusern, 8829 Herdstätten und 85 Straßen. Der Kurfürst ließ den Karlsplatz und das Schönfeld anlegen, wie sie seit 1797 amtlich heißen. Ein besonderes Schmuckstück schenkte er der Stadt im Englischen Garten, einer der großen Schöpfungen des 18. Jahrhunderts, Gegenstück zum Pariser Bois de Boulogne; er entstand zwischen 1789 und 1793 unter der Leitung des Generals und Chefs des Geheimen Kriegsbüros, des Engländers Sir Benjamin Thompson, Grafen von Rumford, sowie des Hofgartenintendanten Friedrich L. Sckell, der in Süddeutschland den ersten großzügigen Landschaftspark englischen Stils in Schwetzingen angelegt hatte. Der »Hirschangerwald«, bislang Jagdrevier des Hofes, sollte zur Naturanlage für die Erholung der Einwohner Münchens umgestaltet werden: Auf Anregung des Grafen Rumford begründete Karl Theodor 1789 eine Militärakademie. Der englische Philanthrop legte in der Stadt Arbeitshäuser und Manufakturen an, um die Menschen in geregelte Arbeit und Brot zu bringen. Der Kurfürst öffnete ebenso den Hofgarten, die älteste Gartenanlage der Stadt, ursprünglich auf dem heutigen Marstallplatz (Rosengarten), am jetzigen Ort durch Herzog Maximilian 1613 bis 1617 angelegt; er gab die Hofbibliothek und die kurfürstliche Gemäldesammlung (1781) zur allgemeinen Benützung und Besichtigung frei; ja man darf ihn den »zweiten Gründer« der Hofbibliothek nennen, die er durch bedeutende Neueroberungen und fürstliche Freigebigkeit wesentlich bereichert hat. Im Jahre 1788 fand die erste Kunstausstellung statt, in dem von Lespilliez an den Hofgartenarkaden erbauten neuen Galeriegebäude. An die von ihm 1778 begründete Na-

tionalbühne, wo deutsche Stücke gespielt werden sollten, berief er aus Mannheim die berühmte Marchandsche Truppe und leitete damit die Münchener Theatertradition ein. Die Herrschaft der italienischen Oper und der französischen Komödie ging damit zu Ende. Dem Intendanten Graf Seeau machte die Konkurrenz des »Stadttheaters« beim Faberbräu viel Kopfzerbrechen; dort spielten Wandertruppen bürgerliche Rührstücke, Singspiele und Tragödien, Stegreifspiele; das Tanzspiel »Der bayerische Hiesel« hielt ganz München in Atem. Auf dem Anger und vor dem Karlstor feierte das Vorstadttheater mit Lorenzo Lorenzonis Hanswurstiaden und Stegreifpossen (Lipperl) fröhliche Urständ. Karl Theodor brachte zu alledem noch das Mannheimer Orchester mit berühmten Solisten nach München. Diese Mannheimer Symphonik hat Mozart nachhaltig beeinflußt, dessen Oper Idomeneo 1781 im Münchener Residenztheater uraufgeführt wurde; sie und der bayerische Baron Poißl, der 1825 Hoftheaterintendant wurde, haben in München die musikalische Tradition von Mozart zu Carl Maria von Weber geführt, dessen komische Oper »Abu Hassan« 1811 ebenfalls in München erstmals dargeboten wurde.

Hinter der glanzvollen Schauseite lebte ein Bürgertum ohne jegliches politisches Gewicht; das alte Patriziat war ausgestorben, beamtet oder geadelt, das Stadtrecht durch landesherrliche Mandate ausgehöhlt und bestritten, das Wirtschaftsleben lag in bedrückender Enge darnieder; die merkantilistischen Unternehmungen hatten ihm nicht auf die Beine helfen können. Nur die Porzellanmanufaktur, 1747 im Paulanergarten zu Neudeck in der Au begründet und 1761 nach Nymphenburg verlegt, florierte (Bustellifiguren). Die große Revolution von 1789 hat in Paris und Frankreich die Tore für den politischen und wirtschaftlichen Aufstieg des Bürgertums weit geöffnet. Ihre Woge überspülte nicht München und Bayern, aber ihr Kind, der Diktator Napoleon, und seine Mitstreiter Jourdin und Moreau haben die siegreiche Volksarmee über den Rhein nach Bayern und München geführt und 1796 den kurfürstlichen Hof nach Sachsen verjagt. Graf Rumford kaufte das isolierte Land mit 6000000 Gulden frei und mußte noch zwanzig wertvolle Gemälde dreingeben. Im Frieden von Campio Formio verzichtete der Kaiser 1797 auf Belgien und Mailand und trat das linke Rheinufer ab, wodurch Kurpfalzbayern, wie es seit Karl Theodor hieß, seine linksrheinischen Gebiete verlor, für die es im Reichsfrieden von Luneville 1801 mit rechtsrheinischen Ländern entschädigt wurde; so kamen Franken und Schwaben zu Bayern und so wurde das neue Bayern, das Territorium des Königreichs Bayern geschaffen. Von seinem tiefen Mißtrauen gegen die Kräfte der Revolution, gegen den Krieg und aus seiner Angst vor den freigelegten neuen Energien, befreite den Kurfürsten ein Schlaganfall im Februar 1799. Die Nachricht von seinem Tode ließ München und das Land aufatmen, die sich von dumpfer Beklemmung befreit fühlten.

Die königliche Landeshauptstadt des modernen bayerischen Staates

»Eine Stadt, die man gesehen haben muß,
wenn man Teutschland gesehen haben will.«

Das ludovizianische München im Staate Maximilians von Montgelas

Heinrich Heine hat München »ein Dorf, in dem Paläste stehen« genannt. Dieses vielleicht zynisch gemeinte Wort ist aber nicht himmelweit entfernt von der Etikette »Millionendorf«, mit der man nach 1945 »Deutschlands heimliche Hauptstadt« sarkastisch, humorvoll, liebe- und sorgenvoll belegte. Mir dünkt, daß Heines Glosse vielleicht sogar mit den Empfindungen des königlichen Bauherrn Ludwig I. übereinstimmte, als er beschloß, seine Residenz zu einer Stadt zu machen, die man gesehen haben müsse, wenn man »Teutschland« gesehen haben wolle. Das bedeutet, daß der Monarch die Hauptstadt des größten deutschen Mittelstaates nach Österreich und Preußen, nach Wien und Berlin vom Provinzialismus, der ihm offenbar anhaftete oder gefährlich werden konnte, bewahren und ihm einen deutschen oder europäischen Rang erhalten oder geben wollte. Vielleicht hat Oberbürgermeister, Stadtrat und engagierte Münchener dieselbe Sorge beflügelt, als sie sich um den olympischen Ruhm für das »Millionendorf« bemühten, da sie nur so die Um- und Ausbauten rechtfertigen konnten, die notwendig sind, um der Stadt mit bayerischen und auch deutschen Superlativen den internationalen Rang einer europäischen Großstadt mit Weltruf zu sichern und zu erhalten. Die Voraussetzung dafür haben zweifellos die politischen Schicksale Deutschlands im 20. Jahrhundert geschaffen. Der Übergang Münchens von der reinen und ausgeprägten Residenz- und Hofstadt von europäischem Ruf in den beiden letzten Jahrhunderten des Alten Reiches zur Landeshauptstadt des modernen Bayerischen Staates, seinem Regierungs-, Wirtschafts- und Kulturzentrum im 19. und 20. Jahrhundert, war auch grundgelegt und allein möglich durch die europäische Hegemoniepolitik Frankreichs unter Napoleon, die politische Flurbereinigung in Deutschland in deren Gefolge und den Gewinn der vollen Souveränität, die der Diktator deshalb den verbündeten (Rheinbund-)Staaten aufdrängte, weil sie das entscheidende rechtliche Mittel war, die Kollektivsouveränität des bündisch-korporativen Reiches zu zerschlagen, die keine Teilsouveränität zuließ.

Nach seiner bürgerlichen und seiner höfischen Phase trat München nun in den dritten monarchistisch-zentralstaatlichen Abschnitt seiner lebendigen Entwicklung ein; es überflügelte dabei alle Reichs- und Bischofsstädte, alle landesherrlichen und geistlich-fürstlichen Residenzstädte und Communen, die aus ihrer reichs- und landständischen Autonomie im neuen Bayern in die hinteren Glieder traten, deren reiche Geschichte um der staatlichen Einheit willen in einen langen Dornröschenschlaf versank. München ist in deutschem Rahmen ein Hauptgewinner der Napoleonischen Kriege, aber auch des zweiten Weltkrieges gewesen; es hat vor dem Ende seiner dritten Lebensphase durch seine eigene Revolution von 1918 auch das staatlich-gesellschaftliche Schicksal des ganzen Landes bestimmt. Sein Wert und seine Funktion in dieser ganzen Epoche und bis heute bestehen und bemessen sich nach seiner schöpferischen Kraft zur Assimilation, Integration, Identifikation und Repräsentation der politischen, kulturellen und wirtschaftlichen Kräfte des Landes und zur gesunden Einschmelzung aller zuströmenden deutschen und europäischen Anregungen und Potenzen. Selbst wenn »altbayerische« Geschichte und Tradition Grundlage und Bodensatz auch der »neubayerischen« Geschichte waren und bis zur Verfassung vom Dezember 1946 blieben, hat sich doch schon seit Karl Theodors Hofverlegung und in besonderem Maße seit dem territorialen Ausgriff unter Montgelas der altbayerische Charakter der Landeshauptstadt bedeutsam gewandelt. Der neue Staat hatte nun zahlreiche pfälzische, fränkische, schwäbische Neubürger, die zu Neubayern wurden, die sich in der Landeshauptstadt nur dann gespiegelt sehen konnten, wenn sie auch an ihrem Gesellschaftskörper beteiligt waren; dies umsomehr als sich auch seit der Eingliederung bei diesen neubayerischen Gruppen mit ihrer überreichen Geschichte ein neues Stammesbewußtsein entzündete und in Distanz zur Zentrale gerade im 20. Jahrhundert virulent wurde. So bekamen München und seine Gesellschaft einen staatsbayerischen Charakter mit langsamem Schwund der altbayerischen Substanz. Es ist positiv und nicht ironisch gemeint, wenn ich sage, daß sich im »Salonbayerntum« oder »Staatsbayerntum« Münchens, das sich selber in die Tegernseer Volkstracht des »Münchener Großraumes« kleidet, seine integrierende gesellschaftliche Potenz ganz besonders zeigt.

Der neue Regent aus der jüngsten Linie der pfälzischen Wittelsbacher, dem Hause Zweibrücken-Birkenfeld, Max IV. Joseph, seit längerem schon Fürst ohne Land und Emigrant auch im preußischen Ansbach, wurde in München begeistert emp-

fangen. Er war keine überragende Figur, aber er brachte einen großen Staatsmann mit, eigentlich zurück, den Maximilian Freiherrn von Montgelas, einen gebürtigen Münchener aus savoyischem Blut, der seine Tätigkeit am pfälzischen Hofe wohl benutzt hatte, um sich in einer Vielzahl von Denkschriften und Abhandlungen staatsrechtlich und historisch auf den Beruf des allmächtigen Ministers im neuen Bayern theoretisch vorzubereiten. Als er dann mit seinem Kurfürsten 1799 in München zu regieren und zu organisieren begann, da brauchte er seinen Staatsorganisationsplan praktisch nur aus der Schublade zu ziehen. Der moderne bayerische Staat kam nicht nur durch seine realistische Diplomatie und Außenpolitik überhaupt zustande, sondern sein innerer Aufbau und sein Geist sind das Werk dieses großen Staatsmannes und Politikers. Sein Geist geht bis heute in den Münchener Regierungsstuben um. Säkularisation, Mediatisierung, auch kleinliche Maßnahmen gegen barocken Volksgeist und die Wucherungen barocker Volksfrömmigkeit haben ihm beim altbayerischen Volk, bei den Romantikern und christlichen Erneuerern den Tadel des unhistorischen Aufklärers und Revolutionärs gegen bayerisches Wesen und die Traditionen des Landes eingetragen. Auch Hardenberg hat ihn »ministre revolutionaire« genannt. Daß er unhistorisch dachte und handelte, kann ihm der nicht vorwerfen, der seine Denkschriften gelesen hat. Und das moderne München hat diesem Staatsorganisator ein gut Teil seines Aufstiegs zu verdanken. Münchens so beliebte Mentalität, gemischt aus südlicher Offenheit und Natürlichkeit, katholisch-barocker Sinnen- und Festesfreude, gewachsener Liberalität und Aufgeschlossenheit für alles Fremde, das man hier doch sehr kritisch unter die Lupe nimmt und ummodelt, ist nur möglich geworden durch den Geist, den dieser savoyische Münchener dem ganzen Staate einhauchte.
Die Münchener hatten schon ihre Erfahrungen mit französischen Soldaten; Sansculotten lagen fast ein Jahr als Besatzung in der Stadt und ihre Kommandeure hatten den Auftrag, die Museen der französischen Republik aus den öffentlichen Sammlungen Münchens zu kompletieren; 78 Gemälde, wertvolle Bücher und Handschriften wanderten so aus der Isarstadt ab. Am 24. Oktober 1805 zog Bayerns Verbündeter Napoleon festlich und bejubelt in der Stadt ein. Am 1. Januar 1806 ritt der Landesherold durch die Straßen, um Bayerns Erhebung zum souveränen Königreich (von Napoleons Gnaden) und die Erhebung des Kurfürsten zum König zu verkünden. Eine Krönung fand nicht statt, die Kroninsignien kamen vermutlich aus Paris; es heißt, daß das Gold der enteigneten Brustkreuze der Würzburger Bischöfe und anderer Prälaten mit in die Krone eingeschmolzen worden sei. Im gleichen Jahr 1806 legte Franz II. von Österreich die Würde des deutschen Kaisers nieder; Napoleon hatte sein Ziel erreicht, er konnte nun sein Imperium begründen. Während Montgelas das Ergebnis seiner meisterlichen Diplomatie, seiner klaren Staatspolitik, seines zielstrebigen Willens nur im Bündnis

mit Frankreich gesichert glaubte und die Zeit nutzen mußte, um das Zusammenwachsen von dreiundachtzig in Wirtschaft, Kultur und Staatsform sehr heterogenen Landesteilen zu beschleunigen, war der Kronprinz von glühender »teutscher« Gesinnung beseelt, ein Hasser Napoleons und ein Gegner der Politik Montgelas'. Er stand den Kreisen um den österreichischen Gesandten Graf Stadion, dem geistlichen Bruder des österreichischen Staatskanzlers, nahe, der München nach 1806 zum Hauptspionage- und Agentenzentrum Österreichs gegen Napoleon ausgebaut hatte. Die große französische Emigrantin und Deutschlandkennerin Mme. de Staël kam damals mit Heidelberger Freunden nach München. Das alles trug sich vor den Augen Montgelas' und des französischen Gesandten zu. Ein Emigrantenzentrum war zur selben Zeit Prag, wo der Freiherr vom Stein Asyl gesucht hatte. Gerade noch zur rechten Zeit löste sich Bayern aus dem französischen Bündnis und wechselte Ende 1813 im Vertrag zu Ried auf die österreichische und preußische Seite über. Der 1833 errichtete Obelisk auf dem Karolinenplatz ist dem Andenken der 30 000 Bayern gewidmet, die an Napoleons Seite auf den russischen Steppen 1812 ihr Leben ließen. Bevor es als Feind behandelt werden konnte, ließ sich Bayern von Österreich und Metternich seinen territorialen Besitzstand, also allen Ländergewinn seit 1802/03 garantieren. So wurde Bayern volles Mitglied des auf dem Wiener Kongreß konstituierten und durch die Karlsbader Zusatzprotokolle vollendeten Deutschen Bundes, eines Staatenbundes in quasi-völkerrechtlichen Formen mit weitgehender Schonung der Souveränitätsrechte der Einzelstaaten. Mit der durch den König nach der Abdankung des widerstrebenden Montgelas gewährten, in der Bundesakte verlangten und von der hohen Bürokratie gewünschten »Verfassung« von 1818 wurde ein neues staatsrechtliches Kapitel der Münchener und der bayerischen Geschichte aufgeschlagen. Bayern wurde ein liberal-konservativer Verfassungsstaat. Als die »Kammern« erstmals 1819 in München zusammentraten, hatten sich die ersten Vertreter des Volkes, die Vorhut des demokratischen Volkes in Bewegung gesetzt.

Bayern zählte 1818 an 3 700 000 Einwohner. Im modernen Einheitsstaat Montgelas' war kein Platz mehr für die Autonomie der Communen, für die alte Städteherrlichkeit. Die gerade in München schon längst ausgehöhlte Eigenständigkeit wurde für alle Städte des Landes formell aufgehoben. 1802/03 wurden Gericht und Polizei verstaatlicht, 1810 der Magistrat aufgelöst und die Stadtverwaltung nach französischem Vorbild ebenfalls verstaatlicht. Nach dem Abgang des allmächtigen Ministers war nicht nur die Gewährung einer Verfassung, sondern auch der Erlaß eines neuen Gemeindeedikts 1818 möglich geworden. Dadurch wurde wieder eine Selbstverwaltung mit zwei Bürgermeistern und zwei Ratskollegien eingeführt; der Magistrat war das eigentliche Organ der Selbstsverwaltung, das Kollegium der Gemeindebevollmächtigten wählte und kontrollierte den Magi-

24 Einzug Napoleons in München am Karlstor 1805. Stich von Taunais

strat. Dieses System war im wesentlichen unverändert bis 1918 in Kraft. Unter Max I., dem bürgerlichsten König, stieg die Bevölkerungszahl von 40 638 im Jahre 1810 und 51 396 im Jahre 1813 auf 62 290 Einwohner im Jahre 1824. Die starke Bevölkerungszunahme machte es nötig, einen Generalbaulinienplan zu erstellen; der bescheidene Monarch lehnte aber eine glanzvolle Bautätigkeit ab; die wollte er seinem Sohne Ludwig überlassen, der auch die Oberleitung für den neuen Bebauungsplan übernahm; den aber erarbeitete zusammen mit dem Gartenbaudirektor Sckell zwischen 1807 und 1812 der Mannheimer Karl von Fischer, dem München unendlich viel verdankt. Sein Werk ist die »Maxvorstadt« um den Karolinenplatz, die Sulpiz Boisserée das »Fischerviertel«, der Architekt selber »Borgo nuovo« genannt hat. Unter seiner Leitung arbeiteten auch schon Friedrich Gärtner und Leo von Klenze. Fischer baute das in unseren Tagen so heiß umkämpfte Prinz-Carl-Palais (1803–1811), das Hof- und Nationaltheater am Max-Joseph-Platz (1811–1818), das 1823 niederbrannte; letzteres hat Klenze wieder aufgebaut und am 2. Januar 1825 wieder eröffnet. Fischer, seit 1809 königlicher Baurat, französisch geschult, von Palladio beeinflußt und noch der Baukunst des Barock verpflichtet, leitete die Neubauten der Akademie, die Neugestaltung des Marstallplatzes und der Residenz. Neben ihm wirkten der französisch geschulte Portugiese d' Herigoyen und der Franzose Métivier. Klenzes Erstlingswerke in München sind das Hofgartentor (1816) und das Leuchtenberg-Palais (1817). Die dunklen Worte O. Hederers in seiner Fischer-Monographie: »München verdankt Karl von Fischer mehr als es weiß«, wollen besagen, daß Ludwig I. die Pläne Fischers (z. B. für die Ausgestaltung des Königsplatzes) mit geringfügigen Abänderungen durch andere Architekten und unter deren Namen ausführen ließ. So ist es nicht zuviel gesagt, daß Karl von Fischer der große Wegbereiter der großzügigen Stadterweiterung wurde, die Ludwig I. als König vollendete. Es entstand der Glacisring vom Maximiliansplatz bis zum Sendlingertorplatz; der Briennerstraße fügte er den kreisrunden Karolinenplatz mit seinen strahlenförmig ausgehenden Straßen an und sparte den Raum für den späteren Königsplatz aus. Das Schachbrettmuster der Max-Vorstadt kann von Mannlich und der Stadtanlage von Mannheim stammen. Noch als Kronprinz plante Ludwig seine monumentale Triumphstraße, die Ludwigstraße, mit Feldherrnhalle und Siegestor als Abschlüssen.
Der zopfigen Gelehrsamkeit in der erstarrten Akademie der Wissenschaften gaben König und Minister durch neue Satzungen 1807 neue Impulse; sie beriefen neue Gelehrte und stellten ihr »moderne« Aufgaben. Dadurch bekam diese gelehrte Institution eine norddeutsch-außerbayerische Blutzufuhr, die ihr im ganzen gut tat und bis heute anhielt. Ein Jahr darauf (1808) erfolgte die Stiftung der Akademie der bildenden Künste nach Davidschem Vorbild zu Paris. Damals wurden

auch die wertvollen Bildersammlungen in Düsseldorf, Mannheim und Zweibrücken hier zusammengefaßt und neu geordnet. Münchens Weltruf als Stadt der Museen wurde damals begründet. Jean Paul, der große Dichter, besuchte zwar 1820 als Gast der königlichen Familie die Isarstadt, konnte sich aber nicht entschließen hier zu bleiben. In Münchens Theaterkultur hatte mit der Aufführung von »Kabale und Liebe« am 28. Mai 1799 eine neu Aera begonnen. Seit 1805 leitete Josef Marius Babo das Hoftheater. Das 1802 erbaute, 1818 abgebrannte und 1825 wiedereröffnete Hoftheater wurde zu einer bedeutenden Heimstatt der deutschen Oper. Der Monarch regte dazu eine Volksbühne an, die unter Leitung Weinmüllers zuerst im Herzogsgarten (Justizpalast) spielte und seit 1812 im »Königlichen Theater an dem Isartor« zum echten »Volkstheater« wurde. Ludwig I. hatte dafür kein Verständnis und strich die Mittel. Die Auflösung des alten Zensurkollegiums beim Regierungsantritt Max IV. Joseph und seine Umwandlung in eine Spezialkommission unter der Leitung Westenrieders erschien norddeutschen Blättern als das Ende des literarischen, Bayern diffamierenden Despotismus. München hatte durch die Säkularisation seinen teilweise geistlich-klösterlichen Charakter, den es vorher in gewissem Maße baulich und geistig besaß, eingebüßt, es orientierte sich seitdem zusehends paritätisch. Einen Ausgleich stellte die Verlegung des Bischofsitzes von Freising hierher und seine Erhebung zum Metropolitansitz 1818 dar. Als erster Erzbischof zog 1821 Anselm von Gebsattel auf. Für die staatlich-kirchlichen Beziehungen galt fortan das 1817 abgeschlossene Konkordat, das 1818 der Verfassung angefügt wurde. Im ganzen 19. Jahrhundert herrschte in Bayern ein Staatskirchentum. Für Münchens Ruf und Funktion als Landeshauptstadt des modernen Bayern aber war für das ganze 19. und 20. Jahrhundert die Begründung des Oktoberfestes entscheidend. Diese »fünfte Jahreszeit«, ebenso berühmt wie sein Fasching, geht auf das Pferderennen zurück, das am 17. Oktober 1810 auf der »Theresienwiese« zwischen der Sendlinger- und Landsbergerstraße am Fuße des Sendlinger Berges zur Feier der Hochzeit Kronprinz Ludwigs mit der herzoglichen Prinzessin Therese von Sachsen-Hildburghausen abgehalten wurde. Dieses erste Oktoberfest hat Wilhelm von Kobell im Ölbild, Peter Heß im Stich festgehalten. Fortan trafen sich zu diesem Feste die im neubayerischen Staate vereinigten Menschen, Gruppen, Stämme und pflegten eine Gemeinsamkeit, die die politische Integration psychologisch-menschlich kräftigte und förderte.

König Ludwig I. (1825–1848) hat München zur ersten Kunststadt Deutschlands gemacht und ihm eine monumentale deutsche und europäische Note gegeben, so daß es allmählich zum zweiten »Paris« wurde. Architektur, Plastik, Malerei wetteifern in dieser großartigen Bauperiode um den einheitlichen Wurf und die Vollendung eines großen Planes und künstlerischen Willens. Der Hildesheimer

25 Die Propyläen am Königsplatz

Klenze, und Friedrich Gärtner, Georg F. Ziebland und Daniel Ohlmüller schufen die großen Bauten, die auch Denkmale und Symbole eines Herrscherwillens sind. Glyptothek, Odeon, Königsbau der Residenz, Alte Pinakothek, Allerheiligen-Hofkirche, Herzog-Max-Palais und Kriegsministerium, auch der Festsaalbau in der Residenz, Ruhmeshalle und Propyläen sind und gelten als Schöpfungen Klenzes. Die Monumentalbauten der via triumphalis, Ludwigskirche, Staatsbibliothek, Universität, Feldherrnhalle und Siegestor, Georgianum und Max-Joseph-Stift sind Werke Gärtners. Ziebland schuf die Bonifatius-Basilika und das Kunstausstellungsgebäude, Ohlmüller die Maria-Hilf-Kirche in der Au; die Neue Pinakothek baute August Voit (1853). Einen gewissen Abschluß dieser einmaligen Bauperiode setzte das Riesenstandbild der Bavaria 1850, ein Werk Schwanthalers. München als repräsentativer Mittelpunkt des Staates stand und steht für den politischen und kulturellen Willen des ganzen Landes. Große Denkmäler vollenden große Plätze, Thorvaldsens Reiterstandbild des Kurfürsten Maximilian I. den Wittelsbacher Platz, das Monument König Max I. den Max-Joseph-Platz von Christian W. Rauch. In den Kirchen bemalte der Nazarener Heinrich Heß die Wände der Allerheiligen-Hofkirche mit Fresken und Peter Cornelius schuf das grandiose »Jüngste Gericht« in der Ludwigskirche. Heinrich von Treitschke hat Ludwig I. dafür gerühmt, daß München durch ihn »der Sitz eines großartigen Kunstlebens«, eine Malerstadt geworden ist. Gottfried Keller hat der Künstlerstadt in seinem »Grünen Heinrich« ein literarisches Denkmal gesetzt. Gärtner, Heß und Quaglio gründeten 1823 den Kunstverein. In Berlin wurde es Peter Cornelius bewußt, daß in München immer Feiertag sei und schönstes Wetter. Der Zudrang der Künstler nach München war immer groß und blieb es durch das ganze 19. Jahrhundert. Mit dem Wachstum deutscher Kunst und ihrem internationalen Ansehen bestätigte sich auch die Sonderstellung dieser Stadt. Es gibt kaum einen großen im Reiche der Kunst, der nicht mit München in Berührung kam. Es begannen jetzt die großen Kunstausstellungen, man feierte berühmte Künstlerfeste, man vereinigte sich in Künstlergesellschaften. Die Reihe der glanzvollen Namen riß durch das 19. Jahrhundert nicht ab. Münchens Ruf zog Leute aus dem ganzen bayerischen Lande magisch an, und gegen das Ende des Jahrhunderts strömten Maler aus ganz Europa nach Isarathen und fügten sich dem Malstil wie dem Leben dieser Metropole ein.

Da steht am Anfang der Revierförstersohn Johann Georg Dillis, geboren am 26. November 1759 in der Einöde Grungiebing bei Wasserburg am Inn. Die Münchener Pinakothek verdankt ihm ihren Ruf, 1822 trat er die Nachfolge Christian von Mannlichs als Central-Galeriedirektor aller Kunstsammlungen in Bayern an. Die Kunstgeschichte des 19. Jahrhunderts hat seinen Malerruhm totgeschwiegen, Feulner, Uhde-Bernays, Schmidt haben ihn im 20. Jahrhundert

wiederentdeckt. »Seine Bilder ... zählen nicht nur zu den besten Leistungen deutscher Landschaftsmalerei in der ersten Hälfte des 19. Jahrhunderts, sondern sie dürfen ... als singuläre Vorläufer des Impressionismus gelten« (Schindler). Sein großer Erfolg war der Ankauf der Sammlung Boisserée in Stuttgart nach achtzehnjährigen Verhandlungen 1827. Dadurch kamen »unschätzbare Juwelen in der ersten Galerie der Welt« (Dillis) an die Isar. Dillis, der 1841 starb, war »ein unverfälschter Altbayer« (K. A. v. Müller), der langsam reifte, aber bis in sein zweiundachtzigstes Lebensjahr von nicht erlahmtem schöpferischem Trieb, universal gebildet, allem Theoretisieren und Cliquenwesen abhold war, ein Mann von umfassendster Sachkenntnis und höchstem künstlerischem Talent, von tiefer Bescheidenheit und selbstloser Heimatliebe, der die bayerische Landschaft für die Kunst entdeckt hat. »Ein echter Bayer und ein guter Europäer«, der für die altbayerische Seele und den europäischen Künstlerruhm und Kulturruf Münchens am Anfang eines großen Jahrhunderts für diese Stadt repräsentativ stand und steht. Als bayerischer und münchnerischer Typus soll er hier auch stehen, der in Person und Leistung all das vereinigt, was man bayerisch im besten Sinne nennt. Typisch ist es auch für München und die Kunstgeschichte, daß man ihn zuerst totgeschwiegen hat; denn es ist auch hier nicht ungewöhnlich, daß man die Bayern aus dem Lande ziehen läßt und begeistert alles Fremde verherrlicht, solange bis man merkt, daß die Einheimischen es genau so gut oder besser können. Die positive Seite dieser Unart aber ist die Aufgeschlossenheit für das Andersartige und Neue, die München nicht ins Provinzielle absinken ließ.
Ein ähnliches Schicksal erlebte der 1853 gestorbene Münchener Landschaftsmaler Wilhelm von Kobell, dem man um die Jahrhundertwende ins Stammbuch schrieb, daß zwei Tegernseer Ansichten von 1844 den Gipfel der Langeweile erreichten, daß sie kalte, jedoch Frische und Freude entbehrende Pinseleien im Stile trockener Porzellanmalereien auf Kaffeetassen und Kannen seien. Die absprechenden Urteile Münchens spielten deshalb die schönsten Studien aus Familienbesitz Alfred Lichtwark in die Hände, der sie in die Hamburger Kunsthalle entführte. Die malerisch-prunkenden Historienmaler Feuerbach und Piloty, die viele Freunde anzogen, haben Wilhelm von Kobell in Mißkredit gebracht. Ein Wandel des Urteils setzte erst mit der Ausstellung von 1906 im Münchener Glaspalast ein. Sein Neffe Franz von Kobell, der altbayerische Mundartdichter, steht höher im Kurs. »Hätte er als Franzose in Paris gelebt, wo man Kunst in die Welt zu bringen versteht, besäße er (W. v. Kobell) heute mit ziemlicher Sicherheit europäische Geltung« (W. Bekh). Der gebürtige Mannheimer (* 1766) kam im Gefolge des Kurfürsten Karl Theodor zusammen mit Künstlern wie Christian Cannabich, dem schon oben gerühmten großen Baumeister Karl von Fischer, dem Galeriedirektor Mannlich, Klotz, Quaglio und seinen Brüdern Franz und Ferdinand nach Mün-

26 Viktualienmarkt, Zentrum des Volkslebens in München. Gemälde von Domenico Quaglio 1824

chen. Aus der Pfälzer Familie wurde nach den Schwierigkeiten der Verpflanzung bald eine Münchener Familie. Die Mannheimer Kunst war höfisch, aus fremden, vorab französischen und niederländischen Anregungen weiterentwickelt; in Altbayern fanden die Kobells eine bodenständige Kunst, die wie etwa die Barockplastik ihre Herkunft aus der Spätgotik (Leineweber, Grasser) nicht verleugnete; hier lebte die mittelalterliche Mysterienbühne noch im Passionsspiel weiter. Wilhelm von Kobell fand erst im Kreis von Dillis den Weg zu sich selber und zur Landschaftsmalerei, in der er Epoche machte mit seinem Bild »Die Furt«. Zu seinen besten Leistungen zählt die 1818 entstandene Radierungenfolge von sieben Ansichten der rings um München gelegenen Kirchdörfer und des Schlosses Nymphenburg; seine Zeichnungen von Schwabing, Bogenhausen und Sendling rufen die alte Schönheit der Münchener Landschaft ins Gedächtnis. Kronprinz Ludwig hatte wie zu manchem auch zur Landschaftsmalerei kein Verhältnis und stand der klassizistischen Historienmalerei näher; deshalb verhalf er durch die Berufung von Peter Cornelius zum Direktor der Münchener Akademie der bildenden Künste 1824 der idealistischen Richtung der Malerei in München zum Siege. Ein Jahr nach seiner Thronbesteigung hob er Kobells Professur für Landschaftsmalerei auf, die Cornelius als »Fächlertum« abwertete. Kobell war kein Idealist der deutschrömischen Schule, er war auch kein Romantiker, seine Sinnenfreude stand der Natursymbolik der Norddeutschen Caspar David Friedrich und Philipp Otto Runge fern; er hatte es nicht nötig zu psychologisieren; sein Stil war eher realistisch als impressionistisch. Frei von jeder Konvention eilte er seinen Freunden Wagenbauer aus Oexing bei Ebersberg, dem illustrierenden Geographen Oberbayerns, und dem Münchener Biedermeiermaler Dorner d. J. weit voraus; sein Einfluß ist noch bei Rottmann, besonders bei Morgenstern, dem Pfälzer Bürkel und dem frühen Schleich spürbar; Spitzweg aber ist sein Nachfahre besonders im »Armen Poeten«, der im Kunstverein so kläglich durchfiel, daß er künftig seine Bilder nicht mehr mit seinem vollen Namen signieren konnte. Das Kobell-Haus in der Neuhauserstraße 45 wurde 1903 abgebrochen. Seine Gebeine ruhen auf dem bayerischen »Campo Santo«, dem Alten Südlichen Friedhof, neben seinen Vorläufern und Nachfahren Schleich, Rottmann, Dillis, Dorner und Wagenbauer.
Neben zwei Landschaftsmalern steht als Hofmaler der Meister des Empire-Portraits Josef Stieler, der Schöpfer der Schönheitengalerie, ein 1781 geborener Mainzer. Der Porträtist Beethovens und Goethes und Künstler des »Totenkabinetts« gründete 1824 mit Quaglio den »Kunstverein« als Schutzverband für Landschaftsmaler und Porträtisten. Der Name lebte im Sohne, dem Dichter Karl Stieler fort. Der geniale, aber erfolglose Altbayer Joseph Schlotthauer, ein Münchener Kistlersohn, der es in der Malerei zu Höchstleistungen brachte, hat hier die Maltechnik des Freskos aus dem Nichts entwickelt. An ihrer Wiedergeburt hat auch

der Pfälzer Carl Rottmann Anteil, ein Romantiker voll Unbefriedigtsein an Gegenwart und Wirklichkeit und ein Klassiker, der 1820 nach München kam. Durch die Freskenlandschaften in den Hofgartenarkaden, die er im Auftrag des Königs 1834 vollendete, eine außergewöhnliche Leistung, trat er in den Kreis der ganz Großen ein; sein Ruhm bestand darin, daß er landschaftliche Themen in monumentaler Wandmalerei darstellte. Die aus norddeutschen Quellen gespeiste Geistesbewegung der Romantik, die Wiedererweckung der Väter und des deutschen Mittelalters, die Entdeckung der Seele und des Gemüts, des Hintergründigen und des Poetischen schlechthin fand in Wien und München eine eigene, selbständige Gestalt. Fast möchte man den Wiener Moritz von Schwind das Bindeglied zwischen beiden nennen. Der Freund des genialen Franz Schubert kam 1827 nach München zu Cornelius, wohin es damals alle strebende Jugend zog. Der Historienmaler Julius Schnorr von Carolsfeld arbeitete damals an den Nibelungensälen der Münchener Residenz. Schwinds Erstlingsarbeit war hier das Tieck-Bibliothekszimmer der Königin (1834). Bayerische Sage und frühe Geschichte sind die Themen seiner Entwürfe für Hohenschwangau; die Ausführung al friesco wurde – typisch – anderen übertragen. Schwind geht nach Karlsruhe und Frankfurt. Im Jahre der Lola-Montez-Affäre bringt ihn Gärtner auf eine Akademieprofessur nach München zurück, wo er sich mit alten Freunden findet, mit dem Kapellmeister Franz Lachner aus Rain am Lech, dem Erzgießer Miller und dem Schöpfer der Bavaria, Schwanthaler. Vor allem fand er sich in herzlicher Freundschaft im Laufe der Jahre mit dem Münchener Hauptvertreter der romantischen Malerei, mit Carl Spitzweg, er, der Akademiker aus dem Anhang von Cornelius, Gärtner, Klenze mit dem verlachten Autodidakten und Apotheker, der etwas von der Bereitung der Farben und Malmittel verstand. Beide wirken aufeinander in Thematik und Malweise. Schwind zeichnet für die »Fliegenden Blätter«, neben Punsch damals die führende Karikaturzeitschrift, auch für die »Münchener Bilderbogen«. Schwind war häufiger Gast im Heim des eigenbrötlerischen Spitzweg am Heumarkt (= Jakobsplatz), aber ebenso eng war die Freundschaft mit Franz von Lachner, dem Münchener Hofkapellmeister, dem großen Orchestererzieher und Komponisten; er brauchte die Musik für seine Kunst, in der die Erinnerung an die Zeit der Jugend nie erlosch. Schwind war Erzromantiker, aber der erdverbundene Spitzweg ging 1848 auf die Barrikaden auch aus Protest gegen die akademische Kunst. Schwind malte Kleinbilder und Monumentalfresken; er war auch Historienmaler, Monumentalmaler, Neugotiker. Sein letzter großer Freund war Eduard Mörike.

Vierzehn Jahre nach Schwind wurde auf dem Südlichen Friedhof in der Thalkirchner Straße sein zweiter Freund Carl Spitzweg bestattet, der alte Sonderling und gottbegnadete Maler. Am Grabe standen der greise Lachner, der Maler

Das münchner Octoberfest von 1852.

Olympische Spiele beim Octoberfeste zu München: Das Wettrennen.

Das Octoberfest findet von Jahr zu Jahr größere Theilnahme bei dem baierischen Volke; wir sagen geflissentlich „Volke", da dasselbe nicht nur allein Tausende von Neugierigen aus allen baierischen Kreisen herbeizieht, sondern auch das Interesse aller baierischen Landwirthe in Anspruch nimmt, so zwar, daß es nach und nach dem Begriffe eines wirklichen Volksfestes entspricht. Wenn

Olympische Spiele beim Octoberfeste zu München: Der Festzug.

Grützner, der Kunstkritiker Friedrich Pecht und der Schriftsteller Hyazinth Holland; die Leichenrede hielt Eugen Stieler, der Sohn Josephs, der Bruder des Dichters Karl Stieler. Die Spitzweg waren Tafernwirte und Posthalter in Unterpfaffenhofen südlich München. Den Maler Spitzweg reizte das hohe Ideal weit weniger als die kleine Wirklichkeit. Er ging bei den sogenannten »Pollinger« Malern in die Schule, die zur Keimzelle des Widerstandes gegen die Akademiker, gegen Cornelius, wurden, die junge Künstler begeisterten und den Münchener »Realismus« vorbereiteten. Dazu gehörten der Pfalzbayer Heinrich Bürkel, der Niederbayer Eduard Schleich aus Harbach bei Landshut, der Hamburger Christian Morgenstern, der Münchener Sebastian Habenschaden, der Würzburger Hermann Dyck, der Aschaffenburger Holzschneider Felix Braun. »Sehen, nicht fühlen und denken« war das Gesetz der Pollinger. Im »Münchener Kunstverein« von 1825, trotz Beitritt König Ludwigs und des Cornelius, eigentlich eine Kampfansage an die Akademie, fiel ausgerechnet Spitzwegs Erstlingswerk »Der arme Poet« 1839 durch, vor allem, weil er mit vollem Namen signiert hatte. Fortan wählte er die Pseudonyme »Spitz«, »Katz«, »Zucchi«. Der König entmachtete 1840 den allgewaltigen Kunstpapst Cornelius und führte unter Gärtner die Landschaftsmalerei als Fach wieder ein, hob die Genremalerei heraus und gründete die Neue Pinakothek. Spitzweg lieferte Beiträge zu den »Fliegenden Blättern«, die der vorgenannte Holzschneider Braun mit dem Buchhändler Schneider gegründet hat. Gelegentlich arbeitete auch der Puppengraf Franz Pocci mit. In jene Zeit fiel das große Dürerfest des Karnevals von 1840; durch Gottfried Kellers einzigartige Schilderung ist es in die Dichtung eingegangen. Der Schweizer hatte an der Isar sein Heil als Kunstmaler gesucht, sich aber als Streicher weißblauer Fahnenstangen ein hartes Brot verdienen müssen. München ist bis heute eine große »Feststadt« geblieben. Die großen Kirchenfeste mit ihren farbensatten Prozessionen, die Maifeiern, Starkbierzeiten, Dulten, der Schäfflertanz und Metzgersprung, der Fasching mit seinen Tollheiten und die ersten Oktoberfeste mit ihren klingelnden Brauereiprunkgespannen jagten und jagen sich das ganze Jahr hindurch fast ohne Atempause. Zu den Höhepunkten zählt das Karnevals-Dürerfest von 1840. Nach dem Revolutionsjahr 1848 trat Spitzweg eine gemeinsame Reise mit Eduard Schleich durch das oberfränkische Maintal mit seinen Kostbarkeiten an. Schleich, nach Rottmann wohl der bedeutendste Meister der Münchener Landschaftsmalerei, war von der Akademie wegen »völliger Talentlosigkeit« entlassen worden; er hatte ein in vielem Spitzweg ähnliches Schicksal. Die Mün-

27 »Olympische Spiele« beim Oktoberfest in München 1852
(L. Bock, Oktoberfest 1852, Xylographie)

chener Luft aber war letztlich der Literatur- und Kunst-Romantik nicht günstig. Die Kunst wird zur Verlebendigung, nicht zum Sentiment, Gefühl, Geist hier geführt. Ein Höhepunkt seines Werkes war das zwischen 1863 und 1865 entstandene biographische Bild »Künstlergesellschaft im Grün« oder »Déjeuner en herbe« in der Neuen Pinakothek. Spitzweg war ein typischer Münchener und überzeugter Bayer, dem alles Nordisch-Teutsche verdächtig war; aber trotz allem war er brennend neugierig, das Fremde, etwa den überragenden Könner Adolph Menzel in Berlin, kennen zu lernen. In der Endphase seines Lebens wurde es still um den Meister; aber sein Werk wuchs im Schatten der »großen« Kunst neuer Sterne wie Lenbach oder Kaulbach kräftig weiter und die schöpferische Phantasie beherrschte sein Tun.

Ein höfisches Zentrum von Wissenschaft, Literatur und Musik unter Max II. und Ludwig II.

Städtebau, Architektur und Malerei haben im ludovizianischen Zeitalter der alten Residenz- und Bürgerstadt ein monumentales Festgewand und eine bildnerische Schauseite gegeben, die ihr europäisches Ansehen einbrachten. Der König hat bewußt eine Kunstatmosphäre geschaffen, die man menschlich am kräftigsten in seinen Malern spürt; darum muß man sich dieses Mediums bedienen, um die »Luft« dieser »europäischen Malerstadt«, die sie in der zweiten Hälfte des 19. Jahrhunderts war, einzufangen. Durch die Verlegung der Universität 1826 von Landshut nach München wurde die Stadt das Zentrum wissenschaftlicher Forschung und Lehre im Lande. Im Kreis um Görres (Eoskreis) bildete sich ein Zentrum christlich-romantischen Geistes, der nach der Aufklärung und gegen den Fahrtwind des Liberalismus eine Erneuerung christlichen Denkens anstrebte, dabei von der Toleranz und vom Irenismus zur Härte sich verwandelte. Zunächst war das im Geiste des Königs und seines Ministers Abel; doch hat sich der Monarch in seinen letzten Regierungsjahren davon starr und verärgert abgewandt. Die deutsche Revolution von 1848 hat in München nicht nur durch die Lola-Montez-Affäre ihr eigenes Gesicht. Der Eigensinn des Herrschers machte daraus eine Prestigesache, die den himmelweiten Abgrund zwischen seinen neoabsolutistischen Allüren und Maximen einerseits, dem Fortschreiten einer demokratisch-bürgerlichen Gesellschaft und dem Siege des Verfassungsstaates andererseits allzu deutlich werden ließ. Deshalb rieten ihm die Präsidenten der beiden Kammern zur Abdankung,

28 Der »Schäfflertanz«, bis heute lebendige Volkstradition (Kol. Lithographie von G. Kraus 1844)

ein fränkischer Standesherr, der Fürst von Leiningen, und der Sproß eines fränkischen Reichsrittergeschlechts, Baron von Rotenhan. Die Studentenunruhen, Universitätssperre, Professorenentlassungen, der Widerstand des städtischen Bürgertums und der Sturm auf das Zeughaus, all das hat die Unhaltbarkeit des patriarchalischen Neoabsolutismus aufgedeckt und den um München hochverdienten Monarchen und kleinlich rechnenden Hausvater gezwungen, die Regierung in die Hände seines Sohnes Max II. zu legen, mit dessen Tode die Monarchie als aktive und leitende Regierungsform in Bayern und München lange vor 1918 abgedankt hat.

In Wien benutzte Fürst Schwarzenberg, nachdem die Revolution Metternich verjagt hatte, nach der kriegerischen Niederwerfung des Aufstandes die Gelegenheit, den Rücktritt des schwachsinnigen Kaisers Ferdinand (1835–1848) durchzusetzen und den jungen, tatkräftigen Neffen desselben, den ewig regierenden Kaiser Franz Joseph, auf den Thron zu bringen, der sich mit einer Wittelsbacherin verheiratet hat. Der Reformkönig Max II. wurde in zusehendem Maße reaktionär, es war auch Abel zunächst sein maßgeblicher Berater. Im Grunde großdeutsch gesinnt, hat dieser Herrscher zuvörderst auf die Karte des »Dritten Deutschland« gesetzt, das die beiden Großmächte in Zaum halten konnte, soferne die Mittel- und Kleinstaaten einig waren; diese Bedingung zu schaffen, hielt Bayern als ihre präsumptive Führungsmacht für möglich. Das war der Kern der sogenannten Triaspolitik, die man in München vor allem betrieb. Die Wendung der deutschen Politik vom Defensivbündnis ins Aggressive durch die aktive preußische Machtpolitik Ottos von Bismarck, die zum kleindeutschen Nationalstaat führte, hat Bayern vor die Alternative eines Kampfes an der Seite Österreichs oder zur Aufgabe wichtiger Souveränitätsrechte zu Gunsten des Nationalstaates gestellt. Bayern entschied sich ohne ernsten Willen zum Kampf und wurde besiegt. Deshalb mußte es sich zur zweiten Alternative halb genötigt und gerade noch freiwillig bequemen und Mitglied des neuen Bismarckschen Bundesstaates werden. Der große Politiker hat ihm den Eintritt durch Gewährung weitgehender Sonderrechte leicht gemacht. So konnte man sich in München bis 1918 wenigstens nach außen im Glauben wiegen, als sei man souverän. Eine monarchische Initiative fehlte ja sowieso für ein halbes Jahrhundert. Und die anonyme Minister- oder Geheime-Rats-Oligarchie, die das Land regierte, konnte sich immer hinter dem monarchischen Schutzschild verstecken. Dem neuen Nationalstaat aber fehlte, wie Nietzsche vor allem bemängelt hat, die geistig-kulturelle Idee. Umso mehr konnte eine Stadt wie München sich als Bildungs- und Kulturzentrum behaupten und bestätigen, neben und mit Berlin ehrlich bestehen. Die Voraussetzungen dafür hat die Kunst-, Bildungs- und Kulturpolitik der Könige Ludwig I. und Max II. geschaffen.

29 Das Revolutionsjahr 1848 in München. Prinz Carl beruhigt die erregten Volksmassen. Lithographie

König Max II. (1848–1864), eine im Grunde weltabgewandte und innerlich unsichere Monarchengestalt, wandte sein Interesse nach des Vaters Vorleistungen in der Kunst vor allem der Wissenschaft und Dichtkunst zu. Hier blieb für ihn noch etwas Eigenes zu tun, wenn er nicht nur im Schatten seines Vorgängers stehen wollte. Im Zentrum seiner Kulturpolitik stand die Wissenschaft. Er berief namhafte Gelehrte nach München und förderte Forschung und Lehre an Akademie und Universität. Seine Ratgeber waren der Universalhistoriker Leopold von Ranke und der Philosoph Schelling, der sich in München entfalten konnte. Es kam der Historiker Sybel nach der Isarstadt, der nach Berlin weiterging und zu einem bedeutenden Darsteller des Nationalstaates wurde, dazu der Mediävist Giesebrecht. Es wirkte hier der große Begründer einer Volkskunde und einer historischen »Soziologie« W. H. Riehl. Von Justus Liebig, dem Begründer der Agrikulturchemie, ließ sich der königliche Hof Versuche vorführen, die nicht ungefährlich verliefen. Hermann begründete unter besonderer Anteilnahme des Monarchen die moderne Statistik in Bayern. Die Begründung der (gesamtdeutschen) Historischen Kommission bei der Bayerischen Akademie der Wissenschaften, deren erster Präsident Ranke und erster Sekretär Sybel waren, ist ein Zeugnis des weiten Horizonts dieses Herrschers. Um Geibel und Heyse, die er 1854 nach München berief, bildete sich ein Dichterkreis, der im Bund der »Krokodile« sich vereinigte. Diesem Poetenkreis gehörten neben den beiden Genannten Bodenstedt, Schack, Carrière, Haushofer, Lingg, Hertz, Leuthold, Grosse, Dahn, Hopfen, Jensen, Willbrandt, Scheffel zu. Bei der Eröffnung des Deutschen Museums hat der Asienforscher Sven Hedin darum München eine Hochburg der Wissenschaft, der Kunst und Kultur nennen können. Ludwig I. und Max II. haben Traditionen grundgelegt, die bis in das 20. Jahrhundert weiterwirkten. Maximilianeum (1857) und Maximilianstraße (1853) haben der Stadt einen neuen Zug eingefügt, das Alte Nationalmuseum (1858) aber hat die Zahl edelster Sammlungen in dieser glanzvollen Stadt der Museen bedeutend vermehrt.
Der Versuch König Ludwigs II. (1864–1886), nach den bildenden Künsten auch der Musik eine Weihestätte im Sinne Richard Wagners zu schaffen, schlug fehl. Trotzdem erlebten »Tristan und Isolde«, die »Meistersinger von Nürnberg«, »Rheingold« und »Walküre« hier ihre Uraufführung. Ludwig I. hat die italienische Oper und das Volkstheater am Isartor abgeschafft. Schuberts und Schwinds Freund Franz Lachner hat seit 1836 das Musikleben der Stadt in seine Zucht genommen, es aber auch im Klassizismus erstarren lassen, bis Wagner und Bülow die Zügel der Macht ergriffen und neue Akzente setzten. Hierher kam der Begründer der nationalen tschechischen Musik Bedřich Smetana, um sich an Wagners Musik zu begeistern. München hatte auch sehr früh Verständnis für Anton Bruckner, dessen VII. Symphonie König Ludwig II. gewidmet ist. Mün-

30 Richard Strauß, der Komponist des Rosenkavalier, Sohn der Stadt München

chen zeigt auch ein frühes Verständnis für den genialsten Liedkomponisten seit Schubert, Hugo Wolf. Max Reger lebte hier von 1901 bis 1907; er ist nach seiner Leipziger Zeit auch in München begraben. »Um die Jahrhundertwende lag über der musikalischen Theaterwelt Münchens noch der letzte lebendige Nachglanz der Wagnerschen Zeit; Felix Mottl und Franz Fischer ... hüteten ... die unmittelbare Tradition des Meisters. Im Konzertsaal kämpften, erst von einer kleinen Gemeinde umgeben, die Schüler Anton Bruckners, um dem Erbe des Großen gegen zähe Anfeindung endlich zum Siege zu verhelfen. Steinbach aus Köln brachte noch das unverfälschte Vermächtnis von Johannes Brahms. Unter den Lebenden standen neben Reger († 1916) schon Hans Pfitzner und Richard Strauß auf einer ersten Höhe ihres Schaffens, von Jüngern und Feinden umschart. Fast alle großen

Dirigenten der Stadt zogen vorüber, fast alle großen Solisten, Träger einer erlesenen Kultur des Musizierens, von der niemand noch ahnte, daß sie weitum mit ihnen erlosch« (K. A. von Müller). Ludwig II. hatte sein Vorhaben eines Festspielhauses von 1864/65 für Wagners Gesamtkunstwerk nicht verwirklichen können. Littmann erbaute am Ende des Jahrhunderts im Prinzregententheater ein zweites Opernhaus, dessen Bauform dem Bayreuther Festspielhaus nahesteht (1901 eröffnet).

Seine eigentlichen Bauten hat der Monarch in der Einsamkeit der Berge oder Seen errichten lassen. Die Bauleidenschaft Ludwigs II. hat Bismarck seit 1866 kräftig aus dem welfischen Reptilienfond unterstützt und ihn damit zum willfährigen Werkzeug seiner Nationalstaatspolitik gemacht. Die Bauleidenschaft hat auch seinen Sturz, Entmündigung und Tod herbeigeführt. Der leitende Minister Lutz hat zu lange hinter dem monarchischen Schild mit seinen Kollegen eigenmächtig regiert; als es zu spät war und er sich nicht mehr darauf hinausreden konnte, daß er von der seit 1870 offensichtlichen Krankheit des Königs nichts gewußt habe, griff er zu brutal-bürokratischen Mitteln, obwohl ihm Bismarck den richtigen Rat gegeben hatte, die Angelegenheit offen vor der Volksvertretung zu verhandeln. Man glaubt es darum nicht, daß Lutz nur das Ansehen der Krone nicht schädigen wollte; er mußte sich und seine Prestige retten. Der Münchener Psychiater Gudden hatte außerdem ohne Leibesuntersuchung ein Gutachten erstellt, das nach dem heutigen Stand der Medizin falsch war und darum vielleicht auch nicht für die getroffenen Maßnahmen der Regierung ganz ausgereicht hätte. Man kann die Regierungsunfähigkeit des Monarchen wegen Krankheit nicht bestreiten; aber das bayerische Volk und auch viele Münchener hatten ein untrügliches Gespür dafür, daß die Methoden der Entmündigung nicht gerade menschlich und intelligent waren. Darum lebt Ludwig II. im Gedächtnis der Altbayern und vieler Münchener heute noch fort, nicht nur in seinen Schlössern, die dem Staate heute viel Geld einbringen. Daß sich in München in der sogenannten Prinzregentenzeit, die an sich keinen Stempel aufprägen konnte, bis zum ersten Weltkrieg, diesmal frei vom gebieterischen Mäzenatentum Ludwigs I. und deshalb auch nicht mehr so ursprünglich, die Künste nochmals so erfolgreich entfalten konnten und München einen europäischen Ruf gaben, ist das Ergebnis der großen Traditionen königlicher Kunst- und Kulturpflege, aber auch der großen Begeisterung einer breiten Öffentlichkeit, von Stadt und Staat, eines neuen Großbürgertums und der »Künstlerfürsten« der Jahrhundertwende.

v. Lenbach. Gen.-Int. v. Perfall.
Frau v. Lenbach. Fürst Bismarck.
Prof. Schweninger. Fürstin Bismarck.
Der Besuch des Fürsten Bismarck in der „Allotria“ zu München.

31 Der Besuch des Fürsten Bismarck in der Gesellschaft »Allotria« zu München

Der wirtschaftliche und technische Aufschwung Münchens im 19. Jahrhundert

Auf der Schwelle zum 20. Jahrhundert hatte München fast eine halbe Million Einwohner und seine Stadtgrenzen bewegten sich stetig auf das Land hinaus. Seit 1806 hatte sich die Bevölkerung verzehnfacht. Noch war seine gesellschaftliche, wirtschaftliche, politische, kulturelle Bedeutung untrennbar mit seiner Funktion als Residenzstadt verknüpft. Aber sein Aufstieg zum Regierungssitz und zur Landeshauptstadt des größten deutschen Mittelstaates hat das Antlitz der Stadt schon dadurch bleibend verändert, daß der neoabsolutistische König diese neue Würde nach außen kräftig dokumentierte. Jetzt wurde hier eine höchstmögliche Intensivierung der Macht und Herrschaftsrechte wirksam. Die Schalthebel des neuen Staatsorganismus lagen in den Händen der hier amtierenden Verwaltungsbeamten, hier häuften sich die zentralen Ämter. Der Eintritt Bayerns in das Bismarcksche Reich hat nichts verändert; München wurde endgültig zum bevorzugten Sitz staatlicher Bildungseinrichtungen. Nach der Universität entstand 1865 bis 1868 die Technische Hochschule, 1874 begann der Bau an der »Akademie der Bildenden Künste«. München erhob verstärkt den Anspruch, kultureller Mittelpunkt des Königreiches zu sein, Metropole des Theaterlebens und der Musik, Stätte der Museen, Archive, Bibliotheken, in denen neben fremdem Gut die Hauptschätze der Kultur und des Geistes im Lande geborgen waren. Dieser Zentralisierungsprozeß war gegen die einstige Vielfalt der Kultur in Franken, Schwaben und Altbayern gerichtet. Der Vorgang der staatlichen Konzentration hat die Bauphysiognomie der Stadt tiefgreifend, aber nicht entscheidend gewandelt. Jedoch hatte die staatlich-verwaltungstechnische Aufblähung starke wirtschaftliche und soziale Folgen für die Haupt- und Residenzstadt.
Im ersten Viertel des 19. Jahrhunderts beruhte die Blüte der Münchener Wirtschaft zum großen Teil auf dem Zuwachs neuer Erwerbsquellen durch die Gehälter der hier lebenden Staatsbeamten, die hier verzehrten Vermögen, Renten, Pensionen, die Ausgaben der Touristen und fremden Besucher, der hier wirkenden Künstler, Wissenschaftler und Studenten. Industrie, Handel, Gewerbe und Verkehr erbrachten die Hälfte der anderen Einkommensquellen; die Urproduktion aus dem Boden der Stadt fiel kaum ins Gewicht. Das ausgewogene Verhältnis der sehr differenzierten Erwerbsquellen machte die Stadt zu einem Sondertypus innerhalb der anderen Großstädte, besonders der industriellen. München war zuerst Landeshauptstadt, Beamtenstadt, Studenten- und Schülerstadt, Rentnerstadt,

32 Stadtansicht 1850 (Altstadt, Residenz, Ludwigstraße, Max-Vorstadt)

Stätte edlen Lebensgenusses. Von heute aus gesehen waren aber die anderen Erwerbsquellen in Industrie, Handel, Handwerk und Verkehr für das 20. Jahrhundert ein hochbedeutsamer Ansatzpunkt für den Aufstieg Münchens zur größten Industrie-, Handels- und Verkehrsstadt des Landes nach 1945. Die geographische Lage hat Münchens Wirtschaftsentwicklung entscheidend gestaltet. Die Münchener Schotterebene versagte sich intensiver landwirtschaftlicher Nutzung, Mangel an Bodenschätzen und Revierferne haben eine industrielle Entwicklung zunächst verhindert. Jedoch hat der moderne bayerische Staat des 19. Jahrhunderts Handel und Reiseverkehr der Stadt bedeutsam gesteigert und das hatte auch Wirkungen auf Politik und Kultur. Der Ausbau des Eisenbahnnetzes hat alte Verbindungen nach dem Süden, Südosten und Osten neu geknüpft. Hierfür waren die Eröffnung der ersten Eisenbahnlinie München–Augsburg und des ersten Bahnhofes 1839/40, der Ausbau des Hauptbahnhofes 1847/1849, die Freigabe der Linie München–Salzburg mit Anschluß nach Wien und Paris 1860 Ereignisse von weittragender Bedeutung. Das Eisenbahnnetz machte die Stadt zum Hauptumschlagplatz im süddeutschen Raum und gab ihr die Chance, Augsburgs Wirtschaft endgültig zu überflügeln. Getreide, Holz, Vieh, Obst, Gemüse wurden die Hauptwaren des Transithandels. Der Bau des Telegraphenamtes 1869/71, das neue Postgebäude an der Paul-Heyse-Straße, die Errichtung eines Verkehrsministeriums und eines neuen Hauptzollamtes zu Beginn des 20. Jahrhunderts haben die Stadt immer mehr an den Weltverkehr angeschlossen und in das große Kommunikationsnetz Deutschlands und Europas eingefügt. Es konzentrierten sich auch Kapital und Geldverkehr an der Isar. Aus der Kaufmannsstube des Handelsstandes entstand 1830 die Münchener Börse; mit der Hypothek- und Wechselbank wurde 1835 die erste Münchener Großbank errichtet, ihr folgte die Staatsbank, deren Urzelle der markgräfliche Hofbanquo zu Ansbach war, der nach Nürnberg verlegt worden war. Mit ihr ist heute fusioniert die 1869 begründete Vereins- und Handelsbank. Die Konzession für die erste Großbank war der Dank des Staates an die jüdische Hofentrepreneursfamilie Seligman (später geadelt), die den Staat Montgelas' mit einem hohen Millionendarlehen aus der Gefahr eines Bankerotts gerettet hatte. Ein neues Haus für Handel und Gewerbe nahm 1899 die Handels- und Gewerbekammer, die seit 1830 bestehende Börse und den Kaufmännischen Verein auf. Die Münchener Börse wurde 1869 reorganisiert und erwarb sich dann einen wichtigen Platz hinter Berlin, Frankfurt und Köln.

Von der Wirtschaftsblüte nach der Reichsgründung profitierte auch die Münchener Industrie. Optik und Graphisches Gewerbe genossen bereits hohen Ruf; Fraunhofer, Senefelder, Meisenbach, Steinheil hatten wichtige Beiträge geleistet. Die Technik konnte sich nur allmählich festsetzen. Reichenbach baute 1804 die erste Dampfmaschine für den Prägestock der staatlichen Münze. Seit dem 2. Jahrzehnt des 19. Jahrhunderts gab es hier Industrieausstellungen, seit 1833 ein Polytechnikum. Unternehmer wie Utzschneider waren Vorläufer der modernen Manager. Zu Münchens großen Industriepionieren zählte Josef Ritter von Maffei; in seiner Firma wurde 1841 die erste Lokomotive gebaut. Bis 1907 hatten sich etwa zehn Gewerbe- und Industriezweige herausgehoben, die für Münchens moderne Wirtschaft typisch wurden. Weltruf genossen und genießen seine Brauereien, besonders seit der Erfindung der Kältemaschinen. Der jährliche Bierausstoß stieg von 1881 bis 1900 von etwa 1,2 auf 2,2 Millionen Hektoliter, von denen die Hälfte exportiert wurde. In dieser Stadt entfalteten und behaupteten sich vor allem Qualitätsindustrien für Präzisions- und Spezialgeräte. Die stetig wachsende Bevölkerungszunahme mit all ihren Folgen hat das Baugewerbe zu besonderer Blüte gebracht, das sich neben Metallindustrie und Handel zäh behauptete. Die Beklei-

33 Halle der Industrieausstellung 1854 = Glaspalast, abgebrannt.
Stich von Fr. Hablitschek und E. Krug

dungsindustrie stand nur noch hinter der Berliner zurück und die holzverarbeitende Industrie eroberte sich ebenfalls einen geachteten Platz. Den meisten Gewinn vom Ruf der Stadt als einem Kulturzentrum und seiner Anziehungskraft auf den Fremdenverkehr zogen Hotel-, Gast- und Schankwirtschaftsgewerbe. Die stetige Ausweitung des Handelsvolumen beförderte den großen Aufschwung des Fuhr- und Transportgewerbes in der Stadt. Die Vielgestaltigkeit der Münchener Wirtschaft und der Vorrang der Qualitätsindustrie vor der Massenproduktion machen den Sondercharakter des Wirtschaftslebens an der Isar aus.
Im Jahre 1882 beschäftigten erst 9 Unternehmen mehr als 200 Personen, 1895 waren es 38, 1907 dagegen 69 und 1925 erst 149 Betriebe. Erst nach dem ersten Weltkrieg entfalteten sich industrielle Großbetriebe; das begann mit der Verlagerung einzelner Unternehmen der für den Krieg arbeitenden Schwerindustrie (Freimann). Dadurch kam auch ein Stamm gelernter Facharbeiter der Metallindustrie aus Nordwestdeutschland nach München. Die ersten »Riesenbetriebe« der Stadt waren 1907 zwei Lokomotiv- und Dampfmaschinenfabriken, zwei Bau-

firmen, eine »Wagenbauanstalt« und die städtische Straßenbahn. Für die allgemeine deutsche Industrieausstellung 1854 wurde der Glaspalast errichtet. Die große Elektrizitätsausstellung von 1882 leitete die Elektrifizierung ein; bei der Kraft- und Arbeitsmaschinenausstellung von 1882 am Isarkai lief das erste Auto in München. Das von Oskar von Miller 1903 gegründete Deutsche Museum auf der Kohleninsel ist eines der bedeutendsten technischen Museen der Welt. Aus einer künstlerischen Tradition heraus wuchs in dieser Stadt in der zweiten Jahrhunderthälfte die kraftvolle Bewegung für das Kunsthandwerk und die Wohnkulturpflege. Träger waren der 1851 begründete Kunstgewerbeverein, die erste deutsche Kunstgewerbeausstellung von 1876, die Gründung der Zeitschrift »Kunst für Alle« 1888 und nicht zuletzt die Gebrüder Seidl, Rudolf Seitz und Gedon. Wirtschaft, Technik und Industrie haben sich bis in das 20. Jahrhundert so harmonisch dieser Stadt eingefügt, daß es keine Fabrikviertel mit rauchenden Schloten und Mammutbetrieben gab. Im ganzen war die Wirtschaft überwiegend mittelständisch strukturiert. Das vermittelte den Eindruck, daß diese Stadt mit ihren 600 000 Einwohnern im Jahre 1910 noch immer ein »Millionendorf« sei. Eine typische Industriestadt war sie nicht geworden. Trotzdem war die sogenannte Prinzregentenaera gar nicht so beruhigt, wie man vielfach bis heute noch meint. Die politische Willensbildung in den Parteien gerade seit 1890 und ein genaueres Studium der in ihr zutage tretenden gesellschaftlichen Kräfte und Spannungen, der Linksruck im Zentrum (Heim), der Bauernbund, die fortschreitende Sozialdemokratie, die Auszehrung des Liberalismus und seine Linksorientierung (Müller-Meiningen sen.) belegen eine Verschärfung sozialer Gegensätze; die Kontraste zwischen arm und reich traten ins Bewußtsein und gewannen politisches Gewicht. Der Glanz des Königtums hatte unter dem Fehlen einer monarchischen Initiative von 1864–1912 zu verblassen begonnen. In Bayern wurde verwaltet und nicht regiert. Es war nicht nur Fin-de-siècle-Stimmung, sondern echte Gesellschaftskritik, die im klassischen Schwabing, im Simplicissimus geübt wurde; sie war Ausdruck eines Krisenbewußtseins, das sich an der sozialen und geistigen Problematik der modernen Lebensauffassung rieb. Staat und Kirche ließen sich in dieser Bewegung nur schieben und wurden nicht gewahr, daß die Grundlagen schütter wurden.

Neue Akzente im geistig-kulturellen Leben der Stadt zwischen dem Epochenjahre 1890 und dem ersten Weltkrieg

Die Malerfürsten – Das klassische Schwabing

In schon romantischer Rückbesinnung charakterisierte Thomas Mann 1926 die Stimmung des geistigen und bürgerlichen Lebens in der Isarstadt als eine »Atmosphäre der Menschlichkeit, des duldsamen Individualismus, der Maskenfreiheit sozusagen; eine Atmosphäre von heiterer Sinnlichkeit, von Künstlertum; eine Stimmung von Lebensfreundlichkeit, Jugend, Volkstümlichkeit, jener Volkstümlichkeit, auf deren gesunder derber Krume das Eigentümlichste, Zarteste, Kühnste, exotische Pflanzen manchmal, unter wahrhaft gutmütigen Umständen gedeihen konnte«. Die Stimmungsfülle im München vor und nach der Jahrhundertwende war nicht nur Abendrot, Vollendung. Es meldeten sich die neuen Kräfte kritisch an. Vom klassischen Schwabing schrieb Friedrich von der Leyen: »... Schwabing war der Versuch, das künstlerische München mit der Schwungkraft der Jugend in eine neue Welt zu reißen, die man in allen Nerven und Gliedern spürte und von der noch niemand wußte, was sie geben und was sie nehmen könnte.« Ausdruck für diese Kraft und Stimmung ist die satirische Zeitschrift »Simplicissimus« in allererster Linie.
München war in dieser Zeit eine Stadt der Maler, besser der »Malerfürsten« von europäischer Geltung. Das Heimische und Münchnerische vertraten damals der Maler Franz Lenbach, der Baumeister Gabriel Seidl und der Bildhauer Lorenz Gedon. Vor ihnen steht zwischen 1864 und 1873 einsam Wilhelm Leibl. Diese Aussage will die bekannteren Landschafter Lier aus Herrnhut, den Gegner Rottmanns, August Seidel, den Lierschüler Wenglein oder die Brüder Willroider aus dem kärtnischen Villach oder Wopfner nicht totschweigen; es gibt aber noch viele andere hochbedeutsame Künstler, die in München verborgen lebten und doch nachhaltig wirkten. Der 1836 als Maurerssohn in Schrobenhausen geborene Lenbach war oft barfuß als Bub nach München gelaufen, um die Pinakothek zu sehen. Der Historienmaler Carl von Piloty war damals Akademiedirektor gewesen. Aus seiner Schule kamen Lenbach und dessen großer Rivale Leibl. In der »mystisch-antiken« Lenbachvilla des Auftragsporträtisten zahlungskräftiger Celebritäten –

Bismarck, Richard Wagner, Papst Leo XIII. – trafen sich Potentaten und Staatsmänner aus aller Welt. In unserer Epoche hatte sich gegenüber der Jahrhundertmitte wieder vieles gewandelt, Renaissance und Barock kamen wieder in Kurs. Zwischen 1859 und 1872 fielen fünf Stadttore, Zeugnisse der Spätgotik, der Spitzhacke zum Opfer. Im Dom wurde 1858 der Bennobogen Candids und Krumppers entfernt, schmiedeeiserne Gitter, Epitaphien, Altäre kamen auf den Trödelmarkt. Aus den staatlichen Gemäldegalerien wurden viele »zweitrangige« Stücke billig verkauft; als man merkte, was man getan hatte, mußte man sie einzeln um teueres Geld zurückerwerben. Die staatliche Archivverwaltung gab damals ihre Zustimmung zum Abtransport des ganzen Domkapitelschen Archivs von Regensburg in die Papiermühle. Jene Aera war die Zeit der üppigsten Faschingsfeste, dessen Höhepunkt, das Fest »In Arkadien«, 1898 im Hof- und Residenztheater prunkvoll gefeiert wurde, wo die erste Drehbühne der Welt stand. Auf dem Gipfel seines Ruhmes leitete damals Lenbach das Festkommitee; die Jahre aber, in denen die Künstler entscheidenden Anteil am öffentlichen Leben hatten, gingen damals zu Ende. Da ist noch zu nennen der Salzburger Hans Markart, ein Pilotyschüler, der die großartige »Papstwahl« in der Staatsgemäldesammlung schuf. Derselben Schule entstieg der Pustertaler Roßknecht und Hofbauer Franz Defregger. Über die 1873 gegründete »Künstlergesellschaft« kontrollierte Lenbach jeden Künstlerzugang in der Stadt; er war ein Meister in der Kunst, anderen Prügel zwischen die Füße zu werfen, was er vor allem an Wilhelm Leibl, dem größten Maler des bayerischen Realismus, vorexerzierte. Sein Bild der jungen Frau Gedon galt als eines der schönsten Frauenbildnisse überhaupt und die »Lina Kirchdörffer« suchte ihresgleichen. Die Anfeindung war so groß, daß sich der in Köln geborene Enkel eines bayerischen Försters im Oberland unter Bauern verkriechen mußte; so hat er das Leben einfacher Menschen sorgfältig und ehrlich in Farbenpracht geschildert. Sein Partner in der Einsamkeit wurde der Nürnberger Johannes Sperl, der oberbayerische Bauerngärten, Wiesen und Dorfstraßen malte. Von Lenbachs theatralischer Pose im Porträtstil konnte sich sein Schüler Leo Samberger aus Ingolstadt freimachen. Nicht lange nach Lenbach hatte sich ein anderer »Malerfürst«, August Kaulbach, auch von Gabriel Seidl einen Renaissance-Palazzo in der Kaulbachstraße bauen lassen; dabei mußte das Haus seines Oheims Wilhelm Kaulbach weichen, der die Fresken an der Neuen Pinakothek geschaffen hatte. Als Akademiedirektor hatte August Kaulbach seit 1886 eine Schlüsselstellung in München; sein Bestes waren zarte Kinderbildnisse.

34 Lenbachvilla, heute Lenbachgalerie der Stadt München

Diese »Hofkunst« war begleitet von einem anderen Stil, der ungebärdiges Leben atmete. Fritz von Uhde beherrschte den Realismus und Impressionismus in seinen religiösen Bildern. Ein einsamer Maler war der Altbayer Karl Haider. Der Franke Habermann, der Schöpfer der besten Damenbildnisse der Jahrhundertwende, stieß bis Cezanne vor. Der Tiermaler Heinrich von Zügel und der Chiemgauer Bauernmaler Hermann Gröber waren nicht nur bedeutende Maler, sondern auch selber Originale. Aus der Schule Schwinds kamen der große deutsche Impressionist Wilhelm Diez und der Landshuter Max Slevogt, der nach Berlin ging. Er war ein Gründer der Münchener Sezession. In ihr vereinigte sich die junge Künstlerschaft, die 1892 aus Protest gegen die Unwahrhaftigkeit kritikloser Altertümelei, gegen Damast und Plüsch, Staub und Grabesmoder aus der Künstlergenossenschaft austrat und die Sezession gründete. Uhde, Zügel, Habermann gehörten auch dazu. Dieser Münchener Kunstkrach war ein Protest gegen den Akademiezopf, gegen die Behandlung Leibls, gegen Lenbach und Kaulbach, gegen das Überholte, Museale. Wortführer war die Gruppe um den Niederbayern Franz Stuck aus der Passauer Gegend. Man hat ihn als den Maler der Prinzregentenzeit schlechthin gefeiert. In der Nähe des Friedensengels baute sich dieser dritte »Malerfürst« seinen Villensitz. Stuck war ein Erneuerer auf allen Gebieten, der die Jugend auf seine Seite zog, ein Zeitgenosse der in Europa führenden Münchener Jugendstilgeneration, ein Gleichgestimmter mit dem Komponisten Richard Strauß. Die sezessionistische Malerjugend floh aufs Land, wie einst die »Pollinger«. Osternberg zwischen Braunau und Ranshofen war der Sitz ihrer Malerkolonie. Neben Stuck war der Maler Becker Gundahl ein Haupt der Sezession. Karl Stockmann hat aus dem Jugendstil eine selbständige volkstümliche Illustrationskunst gemacht. Um Stuck, den großen Zeichner und Mittelpunkt der jungen Werkkunst, sammelten sich die Vertreter des Buchschmucks und Plakats, die auch Mitarbeiter der satirischen Programmzeitschriften »Jugend« und »Simplicissimus« waren: Taschner, Reznicek, Thöny und Thomas Theodor Heine, der auch ein bedeutender Maler war.

Bald war die Sezession den Radikalen nicht mehr radikal genug; deshalb traten Karl Caspar, Marie Caspar-Filser, der Stuckschüler Weisgerber aus und begründeten die »Neue Sezession«, die wie die »Neue Künstlervereinigung« von 1909 und auch noch die abstrakte Malerei als Protest gegen die Photographie d. h. die photographisch dargestellte Natur verstanden sein wollte. Der Russe Wassily

35 Titelblatt der Zeitschrift »Jugend« eines führenden Blattes aus der Zeit des »Klassischen Schwabing«

JUGEND
1903 · № 6 ·

36 Der Jugendstil in Schwabing. Haus Ainmillerstraße 22

Kandinsky entdeckte 1910 in dieser Stadt die abstrakte Malerei. Eine Antwort auf den »Historismus« und die »Virtuosität« der Älteren war der Wille zum Archaischen und Primitiven; denn »Alles Vollendete fällt heim zum Uralten« (Rilke). Die 1911 gegründete Gruppe »Der Blaue Reiter« aber hat Geschichte wieder durch Geschichte ersetzt. Der Münchener Malersohn Franz Marc, der eben genannte Kandinsky, Alexej Jawlensky, Gabriele Münter und der Böhme Alfred Rubin sind die letzte Münchener Malergruppe von Rang und Namen; Marc, Paul Klee, Kandinsky, die Umstürzler, die Männer der »Sturmfackel«, waren Schüler von Stuck. Sie alle arbeiteten draußen auf dem Lande in Wasserburg, Bichl und Murnau, und sie gingen von der altbayerischen Volkskunst, von der Hinterglasmalerei und der Kinderkunst aus.
München war damals nicht nur Mittel- und Ausgangspunkt deutschen Kunstschaffens, sondern auch der dichteste Sammelplatz deutscher Literatur, der »Humus«, auf dem die schönsten Blüten gediehen, die »Wahlheimat« für viele. Hier fanden sich die Vertreter des süddeutschen Naturalismus um den schönen Franken bäuerlicher Herkunft Michael Georg Conrad und seine realistische Wochenschrift »Die Gesellschaft«, ein Kampforgan moderner Literatur, Kunst, Sozialpolitik. Man schoß gegen Paul Heyse, Münchens berühmtesten Dichter. Otto Julius Bierbaum, Ernst von Wolzogen, Max Halbe, Hans von Gumppenberg, Oscar Panizza waren Mitarbeiter und Mitglieder der kurzlebigen Gesellschaft für modernes Leben. In diesem Kreis entdeckte man Nietzsches elementare Sprengkraft und begeisterte sich an den großen fremden Geistern Henrik Ibsen, Leo Tolstoi, Emile Zola, die man als Begründer eines »neuen naturalistischen« Darstellungsstils feierte. Mit Männern dieses Schlages hob das klassische Schwabing an, das ein kultureller Begriff ist, den im Grunde erst das unbürgerliche, unkonventionelle, unbekümmerte Künstlervolk prägte und der zu Beginn dieses Jahrhunderts für einen Gemütszustand zeugte. Erich Mühsam nannte es eine »Massensiedlung von Sonderlingen«, an deren Ungewöhnlichkeit München sich gewöhnte, sie mit Toleranz ertrug und ihr Lebensrecht gewährte. Die »erosdurchleuchtete« Franziska von Reventlov hat diese »Seinsweise« unvergleichlich verkörpert und in ihren Briefen und Tagebüchern gedeutet. Korfiz Holm hat das 1901 begründete, erste Münchener Künstlerkabarett in Schwabing »das beste deutsche Überbrettl« genannt, das es je gegeben hat; sein Vorbild war der Montmartre in Paris. Elf Dichter, Maler, Musiker, Bildhauer, Architekten taten sich in diesem Unternehmen zusammen, das der Pariser Marc Henry organisierte. Die Aufführungen, bezeichnenderweise »Exekutionen« genannt, waren eine Kampfansage an das Spießbürgertum, an das Unechte, die Lüge, den Kitsch und das von Nietzsche entlarvte Moralin. Im Theater, einem Hofgebäude der Gastwirtschaft »Zum Goldenen Hirschen« an der Türkenstraße hingen die Gipsmasken der »Elf Scharfrichter«.

Ihre »musikalische Seele« war der Komponist Hans W. Weinhöppel, dramaturgische Beiträge lieferte Otto Falckenberg, der Schriftführer des »Goethe-Bundes«, der sich mit dem Dichter Leo Greiner in der Regie ablöste. Die Titelblätter der Programmhefte entwarfen der Graphiker Ernst Neumann, Bruno Paul, Rudolf Wilke, Th. Th. Heine, Julius Dietz, Olav Gulbransson. Mit diesem Kabarett ist untrennbar verbunden der Name der Marya Deloard, des Archetyps des »Vamp«. Frank Wedekind war der erste Neuling im Kreis der Scharfrichter; der unvergleichliche Liedersänger und Lautenschläger, Schauspieler und Dichter hat in die Stadt eine eigene Note gebracht. Von Heinrich Lautensack eingeladen, stieß Hans Carossa dazu. Eine zentrale Figur war Hans von Gumppenberg, der Verfasser des »Teutschen Dichterrosses«; jede seiner Parodien war geistreich und keine gehässig. Das Münchener Kabarett hat auf die bildende Kunst gewirkt, hier entstand das künstlerische Plakat; was Toulouse-Lautrec für die Goulue war, wurde Th. Th. Heine für die Deloard; denn er hat den »Vamp« zum Begriff für München gemacht. Die Kleinkunst war das Gegenstück zum grauen, drückenden, literarischen Naturalismus und zur mystisch sich gebärdenden Dekadenz. Gerade Schwabing aber hat den Jugendstil vertreten, der dem künstlerischen Leben soviel Impulse gab; eine ganze Malerkolonie und seit 1902 die berühmte Obrist- oder Debschitz-Schule in der Hohenzollernstraße haben diese ziervolle, dekorativ-farbige, impressionistisch-mondäne schollebestimmte Form gepflegt.

Ein lebendiger Ausdruck für die Schwabinger Kulturatmosphäre ist die satirische Zeitschrift »Simplicissimus«, die im Buch- und Kunstverlag von Albert Langen (gegründet 1896) erschien. Keine deutsche Zeitschrift verfügte weder vorher noch nachher über eine so erlesene Künstlergruppe von Zeichnern und Literaten. Eine Zentralfigur war Thomas Theodor Heine, der schon vor Langen auch aus Leipzig gekommen war. Mit ihm, der vorher für die »Fliegenden Blätter« gezeichnet hatte, begründete der rheinische Industriellensohn und Erbe eines großen Vermögens das München auf den Leib geschnittene Witzblatt; es wollte Mittler zwischen Kunst und Volk sein. Bezeichnend aber ist, daß sie alle echte Wahlmünchener waren, die mit Heine in den Dienst des Blattes traten: der Schlesier Bruno Paul, der Wiener Ferdinand von Reznicek, der Lüneburger Wilhelm Schulz, der Tiroler Eduard Thöny, der Braunschweiger Rudolf Wilke, später der Thüringer Karl Arnold, der Norweger Olav Gulbransson, der Sachse Hermann Schlittgen, Angelo Jank, als Gäste Max Slevogt, Fidus und Steinlen, Alfred Kubin, Käthe Kollwitz und Heinrich Zillich; der einzige Münchener in dieser Mannschaft war der Zeichner des Münchener Milieus J. B. Engl. Sehr schnell stellten sich auch die besten Literaten aus dem deutschen und europäischen Sprachraum ein; denn Albert Langen förderte viele junge Dichter und gewann in ihnen Autoren, Lektoren, Redakteure für sein Blatt. Die ersten waren Jakob Wassermann und Korfiz Holm,

Reinhold Geheeb und Thomas Mann in seinen Anfängen. Ludwig Thoma trat 1900 der Redaktion bei und Frank Wedekind war der erste literarische Name beim Simplicissimus. Karl Blaich, Gustav Meyrinck und Roda-Roda machten sich hier einen Namen. Hermann Hesse und Rainer Maria Rilke steuerten ihre Lyrik bei. Als freie Mitarbeiter kamen in den ersten Jahrgängen zu Wort: Dehmel, Wolzogen, Bierbaum, Hartleben, Heinrich Mann, Hardt, Scheerbart, Arthur Schnitzler, Schaukal, Holitscher, Falke, Salus, Polenz, Dauthendey, Bodman, Karl Kraus, Ringelnatz, Klabund, Bruno Frank, Hamsun, Björnson, Marcel Prévost, Anatole France, Anton Tschechow. An Häufigkeit der Publikationen überragte alle Frank Wedekind, der seine politischen Gedichte unter dem Pseudonym »Hieronymus« schrieb; später drängte der zeitkritische Spott im Blatt die »Literatur« zurück, er wurde zur »ewigen, stillen Revolution«. In grundsätzlicher Antithese zum Leben seiner Zeit unterminierte er die Welt von damals; er kämpfte gegen das Junkertum, das Offizierskorps, den Klerus und die Bürokratie, gegen den Ungeist der Macht und die Ohnmacht des Geistes, die er durch die Macht der Satire zu parallelisieren suchte. Gerhart Hauptmann hat den »Simpl« die schärfste und rücksichtsloseste satirische Kraft Deutschlands genannt. Ohne Rücksicht auf Verbot und Beschlagnahme griff er die herrschende Gesellschaft bis hinauf zum Kaiser an und gab sie dem Gelächter Europas preis. Das Ausland sah Deutschland vielfach mit den Augen dieses Blattes. Max Liebermann hat den »Simpl« auch die »letzte Blüte der Münchener Kunstkultur« genannt. Seine Gesellschaftskritik war nur fernab dem wilhelminischen Deutschland in Toleranz und in einem Zentrum der Kunst und Künstler möglich, dort wo Lebensfreude, Kunstsinn, Humanität blühten.

In seiner großen klassischen Zeit war Schwabing nicht nur Bohème, auch nicht nur Simplicissimus, Gaststätte von Kathi Kobus, nicht nur Scharfrichter und Frank Wedekind und nicht nur die Gräfin Reventlov, es gehörten dazu auch Karl Wolfskehl als einer der führenden Köpfe, auch Stefan George, der junge Hans Carossa. Sie alle einte der Kampf gegen das Bürgertum, das sie erschrecken wollten, und die Liebe zur Kunst. Die Geistigkeit dieses München mit seinen Cliquen und Schulen wob in der echtesten Münchener Künstlerkneipe der Kathi Kobus in der Türkenstraße, dem Treffpunkt der »geschmackverwöhnten« Schwabinger Künstler, der am Tage einem Kunstkabinett von Ölbildern, Zeichnungen, Radierungen, Schnitten und Stichen glich: Pfänder für die Zechschulden. Hier trugen junge Dichter ihre Verse vor, Kathi Kobus aber deklamierte später selber Gedichte in bayerischer Mundart. Ihr Hausdichter war der Sachse Hans Bötticher, alias Joachim Ringelnatz, der 1908 an die Isar kam. In diesem »Romantiker des Nachtlebens« und »Weltfremdling« verkörperte sich Schwabings große, klassische Zeit. Neben der Künstlerkneipe von Kathi Kobus hatte einen gleichen litera-

37 Der Karlsplatz (Stachus) 1913

38 Café Luitpold, Treffpunkt der großen Gesellschaft und Literaten an der Briennerstraße (Gesandtenstraße)

risch-künstlerischen Ruf das »Cafe Größenwahn«, d. h. das Cafe Stephanie mit wienerischem Zuschnitt. Hier verkehrte der »seelenkundige Erzähler aus Kurland« und »starke Dichter leiser Dinge« Eduard Graf Keyserling seit 1895. Sein bester und treuester Freund war Max Halbe aus Gütland bei Danzig, die beherrschende Figur in der berühmten Kegelgesellschaft »Die Unterströmung«, die er 1889 mit Josef Ruederer begründete. Lovis Corinth hat das Porträt des Dichters gemalt, eines seiner Meisterwerke, heute in der Münchener Staatsgalerie. Ein weiterer geistiger Mittelpunkt Münchens war die »Torggelstube«, das Hauptquartier Frank Wedekinds, den Hermann Sinsheimer den »ungekrönten König von Schwabing« genannt hat. Dieser geniale Zyniker von abgründigem Ernst und fanatische Moralist, messerscharfe Dialektiker und gefürchtete Kritiker der Jahrhundertwende, der Tragiker dieser Zeit und ihrer sich auflösenden Kunst, kam 1889 nach München, nachdem er praktisch alles und jedes probiert hatte, mit dem man sich über Wasser halten konnte.

Schwabing war eine Welt der Polarität, der brodelnden Gegensätze, von der Hoerschelmann sagte: »In Schwabing wurde der Triumph Apolls über die Urweltdämonen nicht anerkannt, sondern hier herrschte Dionysios, hier galt die Nacht mehr als der Tag, der dumpfe Trieb mehr als der fördernde Wille, Rausch und Traum mehr als klare Gestaltung.« Der schärfere Geist wehte damals in Berlin, der »kosmische« Geist und das Herz Münchens aber zog mehr an und hielt Frank Wedekind trotz aller Berliner Erfolge hier fest. München war der Ort wirksamer Begegnungen und bildungsbedeutsamer Freundschaften. Stefan George aus Büdingen bei Bingen begegnete hier 1893 dem späteren Dreigestirn Ludwig Klages, Karl Wolfskehl und Alfred Schuler. Diese kosmische Runde gründete neben Creuzer, antiken Mysterienkulten und Nietzsche in Johann Jakob Bachofens Lehre von Mutterrecht und Mutterfamilie. Die Kosmiker empfanden das Europa der Jahrhundertwende dekadent, überaltert und spiritualisiert, sie wollten zu einem »glühenden Leben« durchbrechen. In Karl Wolfskehls gepflegtem Schwabinger Heim trafen sich am Jour fix die Freunde und die auswärtigen Gelehrten, Dichter, Künstler und sprachen lange über Dichtung, Mythos und Geschichte. Zu diesem Münchener Kreis gehörten der Archäologe Furtwängler und der Kunsthistoriker Wölfflin, Dülberg, Kandinsky, Kubin, Martin Buber, Pannwitz, Gräfin Reventlov, Ricarda Huch, Sir Galahad, die Puppenschöpferin Lotte Pritzel und andere. Wolfskehl war der »Zeus von Schwabing«, der auch den Bart des Gottes trug; der Mittelpunkt seines Kreises, Meister und Seele zugleich, war Stefan George. Die Kosmiker von Schwabing, deren »Päpste« Wolfskehl und Klages waren, teilten die Menschheit in »Enorme« und »Belanglose« und hielten sich selber für die Enormen, d. h. »die echten Schwabinger, die alle Normen der veralteten Durchschnittsmenschheit überwunden und abgetan haben und einer Zu-

kunftsnorm entgegenleben, die sie bereits in ihrer Persönlichkeit vergegenwärtigen«. Schwabing als schöpferische Utopie! Mit dem »kosmischen Faschingsfest« bei Stefan George begann 1904 der »Schwabinger Krach«. Dem George-Kreis standen die »Schwabinger Schattenspiele« Will Vespers und Alexander Bernus nahe; letzterer entdeckte Rudolf Steiners Anthroposophie für München und gründete die literarische Wochenschrift »die Freistatt« als Kampfblatt für die Ideale der neuen Zeit. Nach Rudolf Alexander Schröder (1897) kam sein reicher Vetter Alfred Walter Heymel, beide aus Bremen; letzterer führte ein »unbelastetes Herrendasein großen Stils«. Das München jener Tage zog auch Otto Julius Bierbaum an und gewann Ina Seidel aus Halle an der Saale und Ricarda Huch aus Braunschweig. Thomas Mann hat in der Stadt vier Jahrzehnte seines Lebens verbracht und errang hier seine ersten schriftstellerischen Erfolge; hier arbeitete er als Redakteur am Simplicissimus. In seiner Novelle »Gladius Dei« schrieb er »München leuchtet«.
Die geistvolle Dichterstadt und »Dichterschule« war um die Jahrhundertwende auch ein Zentrum des Theaterlebens. Die alten Münchener Kammerspiele in der Augustenstraße galten als das Theater Schwabings, dessen Chefdramaturg und Oberspielleiter Otto Falckenberg 1914 wurde. Die Aufführungen von Strindbergs »Gespenstersonate« (1915) und Shakespeare's »Wie es euch gefällt« waren zwei Großtaten der Theaterregie. Possart, der Gewaltige am Hof- und Nationaltheater, erwarb sich große Verdienste um die Renaissance der Mozartoper. Am Wendepunkt der Epoche bewährte sich noch immer die Kulturgeselligkeit dieser Stadt mit ihren großen Künstlerfesten und den Kunstausstellungen. Die Stadt zog neben Malern und Dichtern auch Gelehrte an, und ihr Ruhm als Buchstadt war um die Wende unbestritten, den die Verlage des Mainzers Georg Müller, Reinhard Pipers, der Hyperion-Verlag besonders mehrten. Mit Ausnahme der »Neuen Rundschau« (Fischer) entstanden die führenden Zeitschriften der Moderne in dieser Stadt, die »Jugend«, der »Simplicissimus«, »Die Insel«. Der Verleger der »Jugend« Georg Hirth gab auch Münchens einflußreichste Zeitung, die »Münchner Neuesten Nachrichten« heraus. In seinem Haus versammelte sich das künstlerische und gesellschaftliche München. Hier entstand der »März«, dem 1906 Ludwig Thoma, Hermann Hesse, Albert Langen, Kurt Aram die Aufgabe zumaßen, mit fördernder Kritik den Simplicissimus zu ergänzen. Hier entstanden im Kreis um Wilhelm Weigand, als eine Art Fortsetzung von Conrads »Gesellschaft«, die literarisch-politischen »Süddeutschen Monatshefte«, für die man Friedrich Naumann als Mitherausgeber zu gewinnen suchte; Hans Thoma sollte die künstlerischen Fragen betreuen. Schriftleiter war Paul Nicolaus Cossmann, der Jugendfreund und Vorkämpfer Hans Pfitzners; ihm zur Seite stand Josef Hofmiller, »einer der besten Köpfe mit einer der schärfsten Federn in München

39 Karl Valentin, der berühmte komische Satiriker Münchens im 20. Jahrhundert

der Vorkriegszeit« (Sinsheimer). Hier wurde auch das »Hochland« von Carl Muth redigiert, das die katholische Literatur erneuert hat.
»Schwabing« ist der Inbegriff einer kulturellen und geistigen Atmosphäre Münchens um die Jahrhundertwende geworden. Das München, das am Vorabend des Weltkrieges 630 000 Einwohner zählte, das zur Metropole des deutschen Südens geworden war, ist durch die Eingemeindung der Dörfer der nächsten Umgebung seit 1854 entstanden: Au, Haidhausen, Giesing, Ramersdorf, Sendling, Neuhausen, Bogenhausen, Nymphenburg, Thalkirchen und Laim. Trotz großer technischer Verbesserungen und Fortschritte blieb München nach Artur Kutschers Urteil »eine der beharrlichsten, konservativsten deutschen Städte«; denn es bewahrte in allem Wandel seine volkstümliche Art, seine heitere Sinnlichkeit, seine gastliche Daseinsfreude und Offenheit. Gerade das aber offenbarte sich auch in seinen großen Volkssängern, einem Papa Geis, einem Papa Kern, einem Vater Welsch und

dem Strasser im Tal. Ihnen folgten Karl Valentin und Lisl Karlstadt, Papa Schmids »Marionettentheater« und last not least der Weiß Ferdl. Bevor der erste Weltkrieg begann, starb 1914 in München Paul Heyse, das Haupt des höfischen Münchener Dichterkreises. Am Tag der Kriegserklärung kehrte Rainer Maria Rilke wieder an die Isar zurück, und wenige Tage nach Kriegsausbruch bezog Hans Carossa eine Wohnung nahe der Türkenkaserne. Am Ende des Weltkrieges wurde Frank Wedekind auf dem Waldfriedhof bestattet; bald nach ihm starb die »heidnische Heilige« Franziska Gräfin Reventlov im Tessin; mit ihr sank die Münchener Bohème ins Grab. Und wieder einige Monate später ging Eduard Graf Keyserling, der baltische Aristokrat, dahin. Erich Mühsam schrieb in seinen Erinnerungen: »Schwabing! Ich denke an zahllose Stunden der Vergnügtheit, der Besinnung, des künstlerischen Genusses. ... Ich denke an die frei seelische Luft, die Schwabing durchwehte und den Stadtteil zu einem kulturellen Begriff machte. Das ist alles vorbei.« Im »freien« München hatte von 1900–1902 der große russische Revolutionär Lenin unter dem Namen Meier gelebt und zwar in der Schwabinger Kaiserstraße und dann in der Siegfriedstraße. In der Druckerei der »Münchner Post« wurde die russische Zeitschrift »Iskea« (Der Funke) gesetzt. In München erschien auch die Zeitschrift »Sarja« (Morgenröte). Lenin verfaßte hier seine Schriften »Womit beginnen« und »Was tun« (1901). Hier lebte nach der Wende eine russische Studentenkolonie. Eine gewaltige Massendemonstration protestierte hier gegen den zaristischen Despotismus aus Anlaß der Niederschlagung des Petersburger Aufstandes. Aus Berlin und Nürnberg kam hierher bald darnach Kurt Eisner, der Pazifist, Utopist, Preußenhasser und Neukantianer, der die Revolution vom November 1918 in München ausrief und eine politische, keine gesellschaftliche Wende herbeiführte. Wirtschaft und Gesellschaft aber waren schon seit langem in einem stetig sich beschleunigenden Wandlungsprozeß, den der erste Weltkrieg zu einer unvorhergesehenen, aber vorherzusehenden Explosion führte. In der Stadt der Musen und Museen hat sich vieles verändert, aber die Substanz wurde noch nicht angegriffen. Das Neue, das jetzt aufkam oder sich kraftvoller rührte, waren der politische Ton und der wirtschaftliche Akzent, war eine neue Publizität und ein Nachlassen der alten Humanität.

München im Zeichen der Volkssouveränität und Diktatur

Die »heimliche Hauptstadt Deutschlands«

Das republikanische München

Daß in München die Revolution zuerst in Deutschland ausbrach, obwohl König und Ministerium sich bemüht hatten, Wege für einen baldigen Frieden zu ebnen und auch ein parlamentarisches Regierungssystem einführten, ist nicht nur Zufall, sondern das Ende eines langen Prozesses, der explosiven Charakter annahm, als durch den Anmarsch alliierter Truppen vom Südosten über Österreich die Kriegsgefahr für das von Truppen entblößte Land akut wurde und sich aktive Gruppen bildeten, die willens waren, die für einen baldigen Waffenstillstand und Friedensschluß nötig scheinenden Maßnahmen mit Gewalt zu treffen. Hier zeigte sich, daß München nicht nur der Regierungs- und Verwaltungsmittelpunkt des Landes, sondern auch politisch sein Herz und Zentrum war. Erhard Auer hatte geglaubt, durch die Großkundgebung für den Frieden auf der Theresienwiese am 7. November 1918 die Revolution unter Kontrolle gebracht zu haben. Doch während er zum Friedensengel den Protestmarsch führte, konnte der Unabhängige Sozialdemokrat Kurt Eisner unvermerkt mit seiner Gruppe in das West- und Nordend ziehen, die Kasernen besetzen und die Republik ausrufen. Nicht nur das von Hunger und Krankheit entkräftete Volk leistete keinen Widerstand, auch die Beamtenschaft erklärte sich sofort zur Mitarbeit bereit. Eisner verzichtete auf Sozialisierungsmaßnahmen und Abberufung der alten Führungsschicht. Er war auch bestrebt, zwischen repräsentativer und plebiszitärer Demokratie einen Ausgleich herbeizuführen und damit das reine Rätesystem zu verhindern. Deshalb schrieb er Landtagswahlen, wenn auch unter Druck, aus, deren Ausgang offenbar machte, daß das bäuerliche Land sich von ihm schon wieder abgewandt hatte und

daß er fast keine Gefolgschaft besaß. Seine Ermordung hat dann erst die Fronten aufgerissen und polarisiert. Als die neugebildete Regierung Hoffmann sich nach Bamberg absetzte und die Stadt von den Leuten entleert war, die im Sinne ihrer Überzeugungen hätten handeln müssen, konnte sich in zwei Etappen Räterevolution und Räteregierung unter Levin und Leviné durchsetzen, da die anarchistische Gruppe sich nicht zu etablieren vermochte. Es setzte eine Isolierung der Hauptstadt ein, die dann vom Lande her von Truppenverbänden und Kampfgruppen blutig erobert und der Verfügungsgewalt der Räteregierung entrissen wurde. Damit kehrte aber noch lange keine Ruhe ein; denn mit der Eroberung der Hauptstadt meldeten sich die nationalen Rechtsgruppen, die sich in paramilitärischen Verbänden organisierten und bewaffneten, sehr kräftig zu Wort und beherrschten immer mehr das Feld. Bis nach dem Hitlerputsch vom 9. November 1923 wurde gerade München ein Tummelplatz aller möglicher Bewegungen und Bestrebungen. Die rasch abwechselnden Regierungen (Hoffmann, Kahr, Lerchenfeld, Knilling) vermochten jedenfalls die Lage nicht zu meistern trotz ihres Willens, Bayern zur »Ordnungszelle« im Reiche zu machen. Letzten Endes brachten Reichswehr und Reichsregierung den Putsch zum Scheitern. München aber blieb trotz staatlicher Aushöhlung Bayerns durch Hitler seit 1933 der zweifelhafte Ruhm »Hauptstadt der Bewegung« zu sein.
Die Stadt München hatte sich in den Revolutionsmonaten von jeder revolutionären Umgestaltung ihrer kommunalen Versorgungsbetriebe und Institutionen schon deshalb freihalten können, weil auch die Umsturzregierung die Verteilung der Sozialleistungen und der Lebensmittel im System kriegsbedingter Zwangswirtschaft sicherstellen mußte, wenn sie überleben wollte. Die sozialdemokratische Mehrheit in der Stadtvertretung ergriff selber Reformmaßnahmen, um Eingriffe von außen abzuwehren; sie lenkte den »Münchner Arbeiterrat« auf ein für die Stadtvertretung ungefährliches Geleise. So hat die Zusammenarbeit zwischen Stadtvertretung und Beamtenschaft die Kontinuität der Verwaltung gewährleistet, ja nach der Flucht der Staatsregierung nach Bamberg waren die obersten Organe der Stadt die eigentlichen Repräsentanten traditioneller Staatlichkeit in der Landeshauptstadt. Dadurch wurde ein Abgleiten in chaotische Zustände verhindert. Daß aber die finanziellen Schäden der Apriltage, die Verluste der Münchener Wirtschaft und die Ängste der Bürgerschaft für lange das politische Klima in der Stadt belasteten, wurde entscheidend für das Schicksal der Weimarer Republik und für München. Das zeigten schon die ersten Stadtratswahlen nach dem Weltkrieg. Die liberalen Parteien verloren endgültig und unwiderruflich ihre bereits stark geschwächte Stellung im Rathaus, eine lange erkennbare Tendenz. Aber auch die Münchener Mehrheitssozialdemokratie, einst in stetem Aufstieg, mußte vorübergehend Schlappen einstecken. Nutznießer waren die ra-

40 Kurt Eisner bei einer Kundgebung in der Sendlingerstraße

dikale Unabhängige Sozialdemokratie, vor allem die von Georg Heim neubegründete Bayerische Volkspartei; in ihr sah das konservative München das stärkste Bollwerk gegen Umsturz und Radikalismus. Die Programme der Parteien und Gruppen glichen sich auf sozialpolitischem Felde alle an, wohl unter den für alle feststehenden Aufgaben einer Gemeinde wie auch unter dem Druck der wirtschaftlich-sozialen Gesamtsituation am Ende des Krieges. Die ideologischen Grundpositionen der Parteien aber blieben grundverschieden. Die Frage war, ob sich die Ideologien und Konzepte oder die Traditionen und die Verwaltungsorgane durchsetzen würden. Bisher hatten Magistrat und Gemeindebevollmächtigtenkollegium die Verantwortung getragen; erstaunlich hoch war trotzdem der Anteil von Angehörigen dieser beiden Gremien im neuen Stadtrat, der sie ablöste. Von den Frauen, die jetzt erstmals in das Gremium eintraten, war die interessanteste Figur Luise Kiesselbach von den Demokraten, die aus dem Bildungsbürgertum stammte und in der Frauenbewegung als Witwe tätig geworden war.

Neben Beamtenvertretern setzten sich jetzt Partei- und Gewerkschaftsfunktionäre durch. Zu den bekanntesten Persönlichkeiten des Münchener Stadtrates zählten Heinrich Königbauer, nach 1920 Landtagspräsident, ein Mann aus der katholischen Arbeiterbewegung und BVP-Mann, der Mehrheitssozialist Eduard Schmid, der Bürgermeisterkandidat der MSP bei den Stadtratswahlen von 1919, der aus der Holzarbeitergewerkschaft kam; er hatte in der Züricher Emigration Begegnungen mit Bebel, Liebknecht, Vollmar gehabt, war nach 1891 als Redakteur in die »Münchner Post« eingetreten und konnte als erster Sozialdemokrat 1899 in das Münchener Magistratskollegium einziehen. Seit 1907 war er auch Landtagsabgeordneter. Als Vertreter der liberalen Bürgerpartei saßen der Buchdruckereibesitzer Kommerzienrat Ignaz Schön und sein Nachfolger der Brauereidirektor der Paulanerbrauerei Dr. Max Jodlbauer im Stadtrat. Ein erfolgreicher Unternehmer war Josef Humar, einziger Vertreter des Haus- und Grundbesitzes, ein Manager von hohen Graden. Großen Einfluß in wirtschaftspolitischen Entscheidungen besaß der BVP-Vorsitzende Metzgermeister Josef Würz, der auch Präsident der Handelskammer von Oberbayern war. Bezeichnend für manche Mitglieder der BVP vor allem war die enge Bindung ihrer Vertreter an das Handwerk, was bei dem Fraktionsvorsitzenden der BVP und späterem Oberbürgermeister Dr. h. c. Karl Scharnagl, der Bäckermeister war, besonders deutlich wurde. Am wenigsten waren die Linksparteien, die USP, im Gesellschaftsgefüge der Stadt verankert; sie umschloß Künstler, Akademiker, kleinere Beamte, Angestellte, unselbständige Handwerker, einen Maschinenarbeiter, Geschäftsinhaber, eine Redakteursfrau. Die Gruppe zerfiel lange vor Ablauf ihrer fünf Jahre währenden Amtsperiode. Die profilierteste intellektuelle Figur der USP war ihr Fraktionsvorsitzender Hans Ludwig Held, seit 1921 Stadtbibliothekar, der die Bibliotheken reorganisierte und erweiterte und zu einer der bedeutenden städtischen Kultureinrichtungen machte. Es ist festzustellen, daß eine starke Verwurzelung in der städtischen Gesellschaft, ein gewisses Maß an Bildung, geistiger Beweglichkeit und Sachkenntnis in politischen und kommunalen Fragen am sichersten den Weg in den Stadtrat ebneten. Trotz Revolution blieb aber eine grundlegende soziale Umschichtung aus.
In seinem Buch »Abschied vom alten München« schrieb 1919 Georg J. Wolf: »Das Kulturmünchnertum vertrug die Großstadtallüren nicht. Es konnte weder den Berlinismus in seiner Geselligkeit, noch die Industrie mit einem sozialen Leben schlucken und verdauen. München ist in seinem Wesen eine der Städte, die nicht hätten ›groß‹ werden dürfen. Es vertrug das Großstadttempo schlecht. Sobald man ihm seine Beschaulichkeit und sein Behagen nahm, sobald die Herrschaft in Kulturdingen einigen überlegenen Führern entglitt und Sache einer unpersönlichen beamteten Allgemeinheit wurde, war das alte München dahin.« Jetzt

begannen die, die das alte München geliebt hatten oder daran gewöhnt waren, nach dem wahren »Wesen« dieser Stadt zu suchen. Und doch waren die Jahre nach 1918 nur ein Anfang des Wandels, die Entwicklung ging rasch voran und veränderte das Gesicht der Stadt bis heute. Da aber das Wachstum gerade jetzt nicht aufzuhalten war, fragte man sich, ob München mehr Fremdenverkehrsstadt oder Industrie-, Gewerbe-, Handelsstadt sein könne oder werden sollte. In Wirklichkeit ist sie bis heute alles zusammen geworden und trotzdem im ganzen auch eine große Stätte der Sammlungen, Museen, Ausstellungen, des Wissenschaftsbetriebes geblieben. Wenn man ihr ein besonderes Walten von Geist und Kultur und eine größere Nähe zur Geschichte, zu Land und Volk immer wieder bescheinigte, so war oft der Wunsch Vater eines irrationalen Denkens, das gegen Technik und Planwirtschaft, gegen Massengesellschaft, Industrialisierung, Rationalität und Entzauberung protestierte, die nicht abwendbar waren. Thomas Mann sprach ein mahnendes Wort bei der Münchener Feier aus Anlaß der Verleihung des Nobelpreises an ihn: »Die kultur-konservative Rolle, die ›München‹ in bewußtem, für Münchener Verhältnisse allzu bewußtem Gegensätzen zu dem demokratisch-weltstädtischen Berlin übernommen hat, steht oft genug in Widerstreit zu gewissen Zwangsläufigkeiten des modernen Lebens und zu seinem eigenen ›Immerhin-Charakter als Großstadt‹.« Man hatte über der Revolution das München vergessen, das nach desselben Mann Worten um 1900 »leuchtete«; man hatte dessen freien, offenen, kritischen Geist nur hingenommen, aber nicht als Vorrede und Aufbruch zu einer neuen Gesellschaft und Kultur verstanden. Man spürte 1918 nicht die Nötigung, daß man sich selber und die Kultur dieser alten Residenzstadt in eigene, bürgerliche, demokratische Hände nehmen müsse. Deshalb konnte Hitler so leicht die Herrschaft übernehmen, konnte gerade hier die Tyrannei und Diktatur vorbereitet werden.

München wurde dank einer sehr zielbewußten Wirtschaftspolitik des »Rathauses« wieder das große Einfallstor für den Warenaustausch mit den süd- und südosteuropäischen Ländern. Die Schwächung Wiens durch den Zusammenbruch der Habsburger Donaumonarchie nach dem ersten Weltkrieg brachte an sich schon eine große Aufwertung Münchens als Vermittlerin kultureller, politischer und wirtschaftlicher Kontakte fremder Nationalitäten mit Deutschland. Münchens Traditionen als führendes Schulzentrum neben einigen anderen deutschen Großstädten schon vor 1918 wurde nach der Revolution ein bestimmender Programmpunkt städtischer Kulturpolitik aus dem Bewußtsein einer kulturell-humanistischen Mission heraus. München streifte in den zwanziger Jahren rasch Formen der Vergangenheit ab, weil es sich der Technik und der Wirtschaft öffnen mußte. Dafür war der gewaltige Bau des Deutschen Museums, der am 7. Mai 1925 im Beisein des Reichspräsidenten seiner Bestimmung übergeben wurde, ein weithin

sichtbares Symbol. Man war sich bewußt geworden, daß die Technik eine das Zeitalter prägende historische Kraft war. Die Stadt gab 1927 einen Millionenzuschuß für den Studienbau des Museums und ehrte den Erbauer Oskar von Miller mit der goldenen Bürgermedaille. München schaltete sich in den zunehmenden Verkehr der Luftlinien ein und gewann durch die Elektrifizierung der Eisenbahnen in seine Umgebung. Im Sommer 1932 wurden von München aus neun internationale und vier innerdeutsche Luftstrecken regelmäßig beflogen. In den Jahren wirtschaftlicher Erholung von 1925 bis 1930 betrieb die Stadt sehr großzügige Investitionen, sie förderte den Wohnungsbau und ließ neue Großsiedlungen erstehen, sie betrieb den Ausbau der städtischen Werke und milderte dadurch die schlimmsten Formen der folgenden Wirtschaftskrise. Um die Jahrhundertwende hatte der Berliner Kritiker Rosenhagen, beeindruckt von der Lebenskraft und dem Kulturschaffen der Reichshauptstadt Berlin, das harte Wort von »Münchens Niedergang als Kunststadt« gesprochen. Er traf sich mit Klagen, die in München selber Uhde-Bernays, Michael Georg Conrad, Josef Ruederer und der junge Julius Elias, einer der starken Vorkämpfer des Impressionismus, ausgesprochen hatten. Noch verhinderten Selbstzufriedenheit und Traditionsgenügsamkeit notwendige Schritte und auch die Abwanderung von Trübner, Corinth und Slevogt schreckte noch nicht auf.

Seit 1925 kam aber die Diskussion über Münchens Bedeutung als Stadt der Kunst und Künstler nicht mehr zur Ruhe. In der Presse wurde der erregte Streit der Meinungen ausgetragen; Literaturzirkel, Künstlergesellschaften, Parteien, Staatsregierung und Stadtverwaltung beteiligten sich daran. Die Maler der »Neuen Sezession« (Feldbauer, Seewald, Kanold, Claus, Klee, Scharff, Kampendonk, Mense, Prikker, Geiger) hatten Rufen nach auswärts Folge geleistet. Theodor Vischer, German Bestelmeyer, Dülfer, Behrens, Paul und R. Riemerschmid, die Architekten und »Kunstgewerbler« waren weggegangen. Man spürte, daß die Lücken nicht geschlossen waren, die der Tod von Weißgeber, Marc, Hildebrand, Habermann und Stuck hinterlassen hatte. Der Kunsthistoriker Karlinger und der Museumsleiter G. v. Pechmann waren an besser ausgestattete Arbeitsplätze weggegangen. Während der großen Kunstausstellung von 1927 im Glaspalast waren sich ihr organisatorischer Leiter Fritz Behn und die von ihm geleitete Münchener Künstlerschaft in die Haare geraten; Th. Th. Heine raufte sich mit dem Direktor der graphischen Sammlungen des Staates Weigmann. Die leichte Muse steuerte

41 Das Deutsche Museum und die Museumsinsel. Große Schau der geschichtlichen Entwicklung von Naturwissenschaft und Technik

einem finanziellen Zusammenbruch entgegen. Das Scheiden Bruno Walters kostete die »Münchener Festspiele« Attraktivität. 1928 gingen Sauerbruch, der Chirurg, und Oncken, der Historiker, nach Berlin. Wilhelm Hausenstein schrieb 1926 in der sozialdemokratischen »Münchner Post« unter dem provozierenden Titel »Die Provinzstadt München« und »die bayerische Kultur«. Im selben Jahr griffen in der Tonhalle Thomas und Heinrich Mann, Leo Weismantel, Willi Geiger, Walter Courvoisier und Paul Renner in den »Kampf um München als Kulturzentrum« ein. Zweifellos standen unter ihren Gründen politische Aspekte obenan, daneben Rückständigkeit, falsches Traditionsbewußtsein, verkitschte Sentimentalität. Der Pluralismus der Wertsysteme und Gesinnungen hatte in Münchens moderner Gesellschaft schon Einzug gehalten, aber die herrschende Partei erkannte noch nicht, daß sie für ihre kulturpolitischen Auffassungen nicht mehr Alleingültigkeit fordern konnte. Theaterskandale, von den Rechtsradikalen inszeniert, hatten das Urteil über die Stadt verfestigt.
Die ernste Diskussion spitzte sich auf die Frage zu, wer die Rolle des Königshauses in der Kunst- und Kulturpolitik der Stadt zu übernehmen verpflichtet oder bereit sei. Der vorgenannte Fritz Behn wies auf einen zentralen Kern der Krise hin: »Es fehlt heute die Initiative. Es ist keine Persönlichkeit da, die im Mittelpunkt des Kulturlebens steht, es leitet und eine Instanz für die Künstler bildet.« Allgemein war die Auffassung, daß Staat und Stadtgemeinde sich in das kulturpolitische Erbe nach 1918 zu teilen hätten. Im Landtag erinnerte man München daran, daß es nunmehr selber große Aufwendungen für künstlerische Zwecke zu machen habe. Im Zuge einer städtischen Kulturpflege wurden 1924 die »Lenbach-Galerie« von der Witwe des Künstlers erworben, damit eine städtische Galerie verbunden und das Historische Museum am Jakobsplatz neu organisiert (1931). Eberhard Hanfstaengl wurde der erste Direktor der »städtischen Kunstsammlungen«. Die schon seit 1923 wirksame kulturpolitische Aktivität steigerte sich zwar unter dem Einfluß der Diskussion um den Niedergang; aber ihre eigentliche Triebkraft war ein neues bürgerliches Bewußtsein, das nach dem Verlust der fürstlichen Mäzene seinen Stolz darein setzte, seine Traditionen selber zu wahren und durch eigene Leistung für die Geltung der Stadt zu sorgen. In dem Bemühen um das Sammeln des eigenen bürgerlichen Kulturbesitzes trat das Ringen der ehemaligen Residenzstadt um eine Sinngebung ihrer neuen Daseinsform mächtig zutage und die Antwort war die Blickrichtung auf das nichthöfische München, die Kehrseite der prunkvollen höfischen Fassade, auf die menschlichen Gehalte in der Geschichte dieser Stadt. Diese Absicht kam auch in der Neuorganisation des Stadtarchivs durch Pius Dirr zum Ausdruck.
Die Erkenntnis von der elementaren Bedeutung kulturellen Prestiges für die Blüte einer Stadt forderte eine weitgespannte Kulturpolitik auf allen Gebieten. Man

rief einen Kunst-, einen Literatur-, einen Musikbeirat und einen Theaterausschuß ins Leben, die man nicht parteipolitisch besetzte. Thomas Mann, Bestelmeyer, Hans Pfitzner und Josef Haas, die Komponisten, wirkten dabei mit. Die Stadt beteiligte sich finanziell an glänzenden musikalischen Ereignissen wie der Bach-, Pfitzner-, Bruckner- und Brahmswoche (1928–1931) oder an literarischen Festen wie der Ibsenfeier und dem Goethejahr. Ein Höhepunkt waren die Max-Reinhardtfestspiele von 1929. Ebenso wie um die Musen war der Stadtrat auch um das Ansehen der Stadt als Anziehungspunkt für Ausstellungen und Messen bemüht; damit konnte wirkungsvoll Fremdenverkehrsförderung verbunden werden. München sollte als »Kulturstadt« im Kreis der oft als Konkurrenten empfundenen deutschen und europäischen Großstädte herauswachsen und hervorstechen. Diese Entwicklung fand eine jähe Unterbrechung durch die Wirtschaftskrise seit 1930 und die Arbeitslosigkeit, die sich als schwerste Belastung auf Politik und Stimmung in der Stadt legte. Das Jahr 1932 brachte den Eingriff der Aufsichtsbehörde in die Etatgestaltung und das Budgetrecht der Stadt. Das kam einer Bankrotterklärung in den Augen der Öffentlichkeit gleich und die Nationalsozialisten schienen recht zu haben, daß Reichs- und Landespolitik die Verantwortung für diese Lage der Stadt trügen. Sie zogen daraus Gewinn.
Die »Machtübernahme« der NSDAP in der Münchener Stadtverwaltung vollzog sich zeitlich und taktisch in engstem Zusammenhang mit den politischen Vorgängen in Reich und Land. Das Kabinett Held wurde entmachtet und demissionierte, als der Reichsstatthalter Epp am 9. März 1933 eingesetzt wurde. Eine Hetzkampagne führender Nationalsozialisten und des »Völkischen Beobachters« gingen dem Ultimatum des Gauleiters und kommissarischen Innenministers Adolf Wagner voraus, das den Rücktritt des Oberbürgermeisters Scharnagl forderte. Die Stadtgemeinde sollte gleichgeschaltet, die Parteien aus der Stadtverwaltung ausgeschaltet werden. Fiehler übernahm zunächst kommissarisch das Amt des Oberbürgermeisters; einen offenen Widerstand hatte er nicht mehr zu überwinden. Die Reichstagswahl vom 5. März 1933 brachte den Nationalsozialisten die Mehrheit; am 9. Mai wurde noch vor ihrer Auflösung die SPD aus dem Rathaus vertrieben. Seit dem 19. Juli 1933 aber gab es nur mehr Nationalsozialisten im Stadtrat. Die Rathausvertreter der NSDAP standen in besonders engem Vertrauensverhältnis zu Hitler; gehörten sie doch vielfach zu den Männern der alten Garde und des mißglückten Putsches. München wurde jetzt die »Hauptstadt der Bewegung« und das eigentliche Zentrum der NSDAP; deshalb entstanden hier die großen Bauten der Partei im »Reichsstil«, deshalb wurde der Königsplatz in den »Königlichen Platz« umbenannt und umgeformt. Zwischen ihm und dem Karolinenplatz stand ja das »Braune Haus«. Alljährlich am 9. November marschierte der Zug der Genossen zur Feldherrnhalle, dessen Ehrenmal für die Toten des Putsches

N·S·D·A·P
AM 9. NOV. 1923 FIELEN VOR DER FELDHERRN-
HALLE SOWIE IM HOF DES KRIEGSMINISTE-
RIUMS FOLGENDE MÄNNER IM TREUEN
GLAUBEN AN DIE WIEDERAUFERSTEHUNG
IHRES VOLKES: F·ALLFARTH·A·BAURIEDL
TH·CASELLA·W·EHRLICH·M·FAUST·A·
HECHENBERGER·O·KÖRNER·K·KUHN
K·LAFORCE·K·NEUBAUER·CL·v.PAPE·TH·
v.D.PFORDTEN·J·RICKMERS·M·E·v.SCHEUB-
NER·RICHTER·L·v.STRANSKY·W·WOLF

42 Das nationalsozialistische »Mahnmal« an der Feldherrnhalle. Mai 1936

43 Nationalsozialistischer Aufmarsch auf dem »Königlichen Platz« zu München am 9. November 1938

44 Am Isartorplatz 1. 4. 1947

zum »Geßlerhut« der Gesinnungstreue umfunktioniert wurde. Himmler und Heydrich begannen hier ihre »Laufbahn« als Spitzen der Polizei. Der Gauleiter und Innenminister Wagner übte eine Terrorherrschaft bis zum bitteren Ende aus. Röhm fand nach dem Putsch hier sein Ende und der Generalstaatskommissar von 1923 Gustav von Kahr wurde jämmerlich ermordet. Kommunisten, Sozialdemokraten und Monarchisten haben wiederholt und unter Opfern einen Widerstand organisiert. Dazu zählten die Hartwimmer-Olschewski-Gruppe, deren Leiter ehemalige Mitglieder des Bundes Oberland von 1923 waren, die sozialdemokratischen Gruppen Fried–Schober–Linsenmeier, Faltner, Aschauer, SAPD und JSK, die monarchistische Gruppe um Harnier und Zott, der Sperr- und der Schollkreis,

Karl Zimmet und die »Antinazistische Deutsche Volksfront«, die Freiheitsaktion Bayern unter Karl Gerngroß und Caraciola als Verbindungsmann. Der ehemalige bayerische Gesandte in Berlin Franz Sperr wurde zusammen mit dem Münchener Jesuitenpater Alfred Delp und Graf von Moltke zum Tode verurteilt und hingerichtet. Im Jahre 1938 wurde die Jüdische Synagoge hinter dem Künstlerhaus und wenig später die evangelische Hauptkirche St. Matthäus in der Sonnenstraße niedergerissen. Der zweite Weltkrieg brachte die größte Katastrophe in Münchens achthundertjähriger Geschichte. Fast die Hälfte der Stadt sank in Trümmer, ihr Wesen, ihr Leben schien ausgelöscht. Doch sie erhob sich wieder und konnte sich wie nie zuvor als Gemeinwesen entfalten.

»Deutschlands heimliche Hauptstadt«

Der Einmarsch der Amerikaner in München 1945 bedeutete in vielfacher Hinsicht einen Wandel in der Struktur der Isarstadt. In den Aufteilungsplänen Deutschlands, wie sie Stalin und Churchill von Casablanca bis Yalta vortrugen und in Potsdam fallen ließen, spielten Süddeutschland, Österreich und Ungarn mit der Hauptstadt Wien als Alternative eine Rolle. Das hätte Münchens Stellung sehr stark gedrückt, seine Interessen aber wieder erheblich nach Osten und Südosten verlagert. Die Aufteilung Deutschlands in vier Besatzungszonen, die Vereinigung der drei westlichen zur Bundesrepublik Deutschland (1948/49) und die Erhebung der sowjetischen Besatzungszone zur Deutschen Demokratischen Republik haben nicht nur die Teilung des alten Deutschland vor 1937 festgelegt, sondern auch im Innern der westdeutschen Republik, die weiter den Gesamtvertretungsanspruch erhob, entscheidende Veränderungen in der Struktur der Wirtschaft, in Handel und Verkehr hervorgerufen. Das Niedergehen des »Eisernen Vorhangs« hat das Gewicht des Staates eindeutig nach Westen verlagert, und Städte wie Wirtschaft im Schatten desselben stagnierten. Nürnberg, Hof, Regensburg, Passau, die in kraftvollem Aufstieg begriffen waren, verloren ihr »Hinterland« und ihre Verkehrsverbindungen; der Handel, die Donauschiffahrt kamen zum Erliegen. Das gab dem schwergebombten München die Chance, das Vacuum zum eigenen Aufstieg zu benutzen. Die Stadt wurde das größte Industriezentrum des Landes in den sechziger Jahren; das geschah in harter, aber jetzt erfolgreicher Konkurrenz mit den anderen Ballungspunkten des Staates, Nürnberg, Augsburg, Schweinfurt, Würzburg, Hof. Es lagen aber auch Wien und der österreichische Nachbar lange wirtschaftlich darnieder. Die Begründung der Europäischen Wirtschaftsgemeinschaft (EWG) begünstigte zudem Münchens Stellung als größtes Ausfallstor des Warenaustausches nach dem Süden, vor allem aber auch nach dem Südosten. So kam es, daß München ohne große Politik, wenn auch in einer zähen und geplanten Aufbauarbeit unter einem kleinbürgerlichen und einem intellektuellen sozialdemokratischen Oberbürgermeister, Thomas Wimmer und Hans Jochen Vogel, in die Rolle der größten Industrie-, Handels- und Fremdenverkehrsstadt Süddeutschlands, nicht nur des Landes, hineinwuchs. Während die neue Hauptstadt Bonn erst mählich den zu groß geschneiderten Ordensfrack der Bundeshauptstadt ausfüllen konnte – heute ist es auch schon Zentrum eines Großraumes –, hat die Isarstadt bald so kräftig zugenommen, daß alle Nähte platzten. Zwölf Jahre nach Kriegsende 1957 überschritt seine Bevölkerung die Millionengrenze und seitdem nimmt die Bevölkerung um jährlich etwa 30 000 Menschen zu. München ist eine sehr lebendige Stadt geworden, in der das wirtschaftliche und kulturelle Leben sprudelt. Zwar wird es darin von Paris weit übertroffen, aber wie in Stadtbauplänen und auf anderen Gebieten eifert es schon seit langem diesem Vorbild nach.

München ist seit dem Ende des zweiten Weltkrieges in einen ganz neuen Abschnitt seines geschichtlichen Daseins getreten. Das Wegfallen von Hof, Residenz und Fürsten hat ihm nach 1918 schon sehr zu schaffen gemacht, wie wir gesehen haben. Zwar hat die bayerische Verfassung vom Dezember 1946 auf Geheiß der amerikanischen Besatzungsmacht wieder einen bayerischen »Staat« als Teil des kommenden Bundesstaates errichtet, in dem München nach einer Zeit der Dezentralisation wieder zur Hauptstadt des Landes und zum Regierungszentrum wurde. Aber dabei blieb es nicht stehen, denn es mußte an dem großen Wirtschaftsaufstieg Westdeutschlands teilnehmen, schon weil sich durch das Ausfallen anderer Städte und den Eisernen Vorhang Chancen größten Ausmasses dazu boten und weil es durch die Teilnahme am wirtschaftlichen Boom an den indirekten Kriegslasten mittragen mußte. München und das Land waren durch die Aufnahme der Heimatvertriebenen zu einem »Schmelztiegel« geworden; die Stadt selber ist heute die Heimat von ca. 80 000 Flüchtlingen. Die größte Industrie-, Handels-, Verkehrs- und Touristenstadt Bayerns und Süddeutschlands hat sich notwendigerweise selber einen »Großraum« zugelegt, mit dem es menschlich-wirtschaftlich-kulturell aufs engste verbunden ist, weil eine Fluktuation der Arbeitskräfte und die Ernährungswirtschaft allein schon sie aufs engste aneinander binden, nicht nur weil Satellitenstädte auf das Land hinaus über den Stadtrand gewachsen sind. Die Stadt mußte ihr Gewand modernisieren, wollte sie nicht im Verkehr ersticken. Der Griff nach dem olympischen Ruhm wurde für München zur bitteren Notwen-

45 Die neuzeitliche Stadtsilhouette

46 Der französische Staatspräsident de Gaulle bei der Eintragung ins Goldene Buch der Stadt München am 8. 9. 1962

digkeit, um sich auf das neue Niveau und die größere Funktion technisch-städtebaulich umzustellen bzw. diese »Operation« zu finanzieren. Die Stadt hat damit endgültig Abschied von ihrer Vergangenheit und allen Gefühlsgehalten, auch von ihrer bayerischen Funktion genommen. Sie ist eine Großstadt von deutschem und europäischem Rang in Wirtschaft, Gesellschaft und Kultur geworden. Die Stadt München hat gerade im 19. und 20. Jahrhundert immer einen Weg gesucht, der ihr ein zähes Festhalten an der Tradition und doch eine klare Entscheidung für den notwendigen Fortschritt möglich machte. Die Entwicklung ist noch nicht zu Ende; ob an ihrem Ende München noch seine Identität und seine »Atmosphäre« besitzt, bleibt abzuwarten. Jede Operation kostet Substanz, Blut und Kraft, nicht jede Operation gelingt. Doch muß jeder dieses Risiko eingehen, der nicht von vorneherein den Wettlauf aufgeben will. Das aber vermochte das ehrgeizige, ziel-

bewußte und fortschrittliche München und sein Bürgertum am wenigsten. Der größte Preis, den es dafür zahlen muß, ist das Schwinden seiner Bindungen an das altbayerische Land. Das Stammesbayerische wird München nicht mehr repräsentieren; denn auch das Oktoberfest und sein Trachtenfestzug ist eine Schau deutschen Volkstums geworden und an den Biertischen geben sich die Völker Europas, vor allem die Partner der Münchener Wirtschaft, die zum »Kundentrinken« kommen, ein Stelldichein. München wird das leicht überwinden, da seine Gesellschaft schon lange salonbayerisch und staatsbayerisch ist, was mit Altbayerisch soviel und so wenig wie mit Fränkisch und Schwäbisch oder Pfälzisch zu tun hat. München entfernt sich von den bayerischen Ländern ebensosehr wie Wien sich von den österreichischen Ländern entfernt hat. Die Altbayern müssen sich um ihre Traditionen und ihre Kultur ebenso eifrig in Zukunft selber bemühen wie es die Franken und Schwaben tun. München »leuchtet« für Deutschland und Europa, aber nicht mehr für das Stammesbayerische. Das ist Rangerhöhung und Verlust zugleich. Doch wer hat noch je für einen Aufstieg nicht bezahlen müssen. Immerhin ist es ein großer Ruhm sagen zu können, daß heute München in Europa liegt und auf die Welt ausstrahlt, umgekehrt auch Europa und die Welt sich in München treffen und sich trotz mancher Amerikanisierung immer noch daran erfreuen. Der technische Fortschritt beherrscht nun einmal die Welt und auch München. Entscheidend bleibt und wird es immer mehr, das Geld flüssig zu machen, um diesen Wettlauf durchstehen zu können.
In einem Schwabinger Milieutheater wurde vor einigen Jahren allabendlich das Musical »Die heimliche Hauptstadt« gespielt. Es wollte ein Preisgesang sein. »Isarathen« ist tot oder vergilbt, aber das neue Epitheton »heimliche Hauptstadt Deutschlands« übernahmen offenbar auch Nichtbayern ohne Widerstreben, weil sie von diesem »Kompliment« für München überzeugt waren. Ein »Millionendorf« ist diese Stadt schon seit einiger Zeit nicht mehr. Gelten mag noch die Charakteristik von Eugen Roth »Millionenstadt mit dem Bauernmarkt, Festspielstadt mit dem Oktoberfest, Kongreßstadt mit den winkligen Vorstadtgassen«; Masse und Gesellschaft, Mensch und Individuum, Technik und Kultur, Stadt und Land, Fortschritt und Tradition klingen hier zusammen, gleichsam als Programm einer Stadtkulturpolitik; wenn es München gelänge, all das zu harmonisieren und unter einen Hut zu bringen, dann wäre München repräsentativ für eine gewachsene deutsche Kulturmetropole und besäße den Ehrentitel einer »Hauptstadt« zurecht, ohne daß man ihm diesen bei einer der üblichen Preisverleihungen zuerkennen müßte. Wie die Diskussionen aus der Mitte der zwanziger Jahre zeigen und die Mahnung Thomas Manns es auch ausspricht, war seit dem Anfang des 20. Jahrhunderts die Reichshauptstadt Berlin der große Konkurrent Münchens um die Palme des Kulturpreises, ja es hatte München in den Zeiten der Weimarer

Republik schon weit hinter sich gelassen. Dieser Rivale fiel seit dem Ende des zweiten Weltkrieges und durch die Teilung Deutschlands fort. Städte wie Köln, Frankfurt, Magdeburg, Würzburg, Nürnberg, vor den Bombennächten die Perle gotischen Lebensgefühls in Deutschland, lagen in Trümmern wie München auch und hatten ihre historischen Denkmale verloren. Dresden und Leipzig fielen aus. Als echter Konkurrent war nur Hamburg übriggeblieben. Da es München gelang, die Bombenschäden überraschend schnell zu beheben, konnte es auch sein in Sammlungen, Kunstschätzen, Bauten, in seiner Theater- und Festkultur, in seiner Ausstellungspraxis, in seiner Landschaft, seinen Gärten und seiner Städteplanung schon lange angelegtes und unzerstörtes Kapital fruchtbar machen und sich in neuem, jetzt seltenem Glanze zeigen. Im großen Festzug aus Anlaß des achthundertjährigen Stadtjubiläums, einer geglückten modernen historischen Schau, hat es nicht nur den Anspruch angemeldet, die Kulturmetropole des westlichen Deutschland zu sein, sondern seine alte Stellung unter neuem Vorzeichen wieder angetreten. Es ist nicht zuviel gesagt festzustellen, daß es heute Traditionen der Weltstadt Berlin und der alten Kaiserstadt Wien und ihres prickelnden Lebens fortsetzt, schon deshalb auch, weil sich heute die Völker des Balkan gerne in München treffen und ihre Geschäfte abschließen. München ist »heimliche Hauptstadt« geworden nicht wegen seines politischen Gewichts, obwohl auch das als Metropole des gefestigten Landes in einem Bundesstaat ohne Tradition und »Staatsidee« nicht hoch genug zu bewerten ist. Seinen europäischen Rang verdankt es den Ausfällen und den Chancen nach dem zweiten Weltkrieg und der Tatkraft und Flexibilität seiner Bürger sowie einer sehr intensiven Kulturpolitik der bayerischen Landesregierung in dieser Stadt, die hier Bayern als »Kulturstaat« repräsentiert sehen wollte. Hamburg ist bislang sein einziger Konkurrent geblieben. München liegt weder zu nahe den großen Weltstädten des Westens wie Köln und Frankfurt, noch zu nahe dem Eisernen Vorhang, so daß es dessen Wirkung nicht verspürt. An letzter Vollendung fehlen ihm noch ein Atomzentrum, um das sich die Landesregierung bemühte, ein Weltflughafen von den Ausmaßen des Rhein-Main-Flughafens bei Frankfurt, um den heute Stadt und Land heiß und erbittert ringen, und schließlich eine Subway oder Metro, die ihm der olympische Ruhm mit den Geldern von Bund und Land beschert.
München gehört mit seinen dreizehn Museen neben Berlin, Wien, Paris, London, Moskau, New York, Rom, Budapest, Prag, Mailand, Athen, Leningrad und Konstantinopel zu den »Weltstädten der Künste«. Sein Ruf als Kunst-, Musik- und Theaterstadt ist bis heute unbestritten, der Münchener Opernsommer konkurriert mit den Salzburger Festspielen. München genießt auch dank der Propaganda der unvergleichlichen Schwabinger um die Jahrundertwende den guten Ruf der Liberalität, Freisinnigkeit, des Nonkonformismus, der Offenheit, der Verbundenheit

mit Land und Leuten, des gemütlichen Lebenszuschnitts und der vornehmen Nonchalance, in der sich jeder sein Leben immer noch nach seinem Geschmack einrichten kann. Es ist ein großes Glück, daß es seine jüngste Vergangenheit so schnell vergessen machen konnte. Freilich hat das heutige Schwabing, das München auch berühmt macht, das Schwabing des ewigen Fasching, einer permanenten Unordnung im wirtschaftlichen und geistigen Haushalt, das Schwabing der Nur-Bohème, Libertinage, Verachtung der Bürger und der bestehenden Gesellschaft in der Uniform auffälliger Extravaganz in Benehmen, Kleidung, Rede nur wenig gemein mit der klassischen Epoche Schwabings, wenigstens so weit es sich literarisch manifestierte. Die großen »Schwabinger« waren »Maximalisten« mit großen Ideen, Plänen, Wünschen, aber auch einer großen Lust an Ironie, Kritik, Karikatur und Negation. Sie waren es, die der Hauptstadt eines im Grunde konservativen, aber nicht unbeweglichen Landes mit einer reichen Kultur den Nimbus und Charakter einer Freizügigkeit, Lebendigkeit, Geistigkeit gegeben haben, der bis in die Weimarer Zeit reichte und sogar noch die Hitlerzeit überdauerte. Darum gibt es im heutigen Deutschland nichts Vergleichbares an unmittelbarem Erbe und Fortleben von Traditionen, mögen sie auch vergröbert sein. München hat sich seit dem 17./18. Jahrhundert darin eingeübt, als es begann, Schmelztiegel von Menschen von verschiedenster Provenienz und Abstammung zu werden.
Über jede individuelle Gesellschaft und Kultur legt sich heute eine globale Weltzivilisation, die überall gleiche Züge trägt auf den Flugplätzen, in Jumbo-Jets, Pullmans, Autobahnen, Motels, Hotels und Campings, aber auch im Geschmack und in der Konservenbüchse. Auch die Fremdenverkehrs- und Olympiastadt München kann sich dem nicht entziehen. Vielleicht bewahrt sie aber die innere Kraft, die ihr aus einer liebenswerten, bäuerlichen Landschaft mit allen Reizen, aller Urwüchsigkeit und aller Stärke zuströmt. Bis heute, wenigstens bis gestern, war das vornehme München so sehr die Mitte dieses Landes, daß man sein Herz ebenso schlagen spürt im Tegernseer-Tal, am Schlier- und Chiemsee, im Thomahof in der Tuften zu Rottach-Egern, in der Vorderriß, in Klais, Mittenwald oder Ruhpolding. Das bayerische Oberland mit seinen Seen, Wäldern, Moränenhügeln, seinen Bergen und seinem berühmten Panorama, mit seinen zahlreichen Barockkirchen, Klöstern, Schlössern gibt den Rahmen für das Bild dieser Stadt. Die großen Landschaftsmaler Münchens im 19. Jahrhundert haben dieses Bild kanonisiert. Zu München gehört ein ländlich-bäuerlicher Siedelraum, und der Münchener ist ebenso an den Seen des Voralpenlandes, in Bayerischzell oder Reit im Winkl, auf

47 (S. 140/141) Der Altstadtkern im Gefüge der modernen Stadt

den Skihütten um den Spitzing, auf der Firstalm oder Neureuth zuhause wie in den sommerlichen Berg- und Almhütten im Wetterstein, Karwendel, am Hundstod oder am Watzmann. Die Autobahnen und die Olympiastraße sind die großen Verkehrsadern, die Bauern und Berge und München aufs schnellste miteinander verbinden. Trotz aller Nähe zum Land und seinen beharrenden Kräften, die sich manchmal sehr betont im Maximilianeum (Parlament) rühren und aussprechen, die aber auch in Ludwig Thomas »Filserbriefen« ihr unverwechselbares literarisches Konterfei erhalten haben und kanonisiert sind, trotz ihrer scheinbar nicht übermäßigen politischen Aktivität, steht diese Stadt über jedem Provinzialismus, den alle ängstlich meiden wollen. Es ist in dieser Stadt für einen Altbayern nicht leicht, sich durchzusetzen, der Fremde, der Zugewanderte hat immer bessere Chancen, besonders wenn er etwas zu sagen und zu bieten hat. Bezeichnend aber ist, daß die Fremden nicht nur Oper, Theater und Kunstgalerien hier sehen wollen, sondern daß sie auch zum Hofbräuhaus und zum Platzl pilgern. Vielleicht ist tatsächlich die geistige und volksmäßig-menschliche Vielschichtigkeit dieser lebenserfüllten Stadt besser immun gegen die Auswüchse, nicht gegen die Vorzüge der technischen Kultur. Das mögen viele spüren, die von außen kommen in dieses bürgerliche Gemeinwesen mit höfischer Vergangenheit, europäischen Traditionen und einer großen wirtschaftlichen und kulturellen Zukunft.
Mein alter Freund und »Schwager« Ernst Hoferichter hat Münchens sieghaften Aufstieg so begründet: »Auch Städte können eine Seele haben, wenn sie erfüllt sind von der Substanz des Lebendigen. In München hat sich in Not und Jubel, Trauer und Freude, Krieg und Frieden, Verblühen und Erblühen seine Beseelung gezeigt. Und wo Werden und Wachsen ist, da findet sich nicht Ruhe und Stillstand – und kein Wanderer, auch wenn er ewig unterwegs ist, erreichte je das Abendrot.«

48 Das Millionendorf wird zur modernen Millionenstadt

Abbildungsnachweis

Foto Fell, München: 16, 23

Münchner Stadtmuseum: Frontispiz, 7, 8, 9, 11, 12, 14, 17, 19, 20, 21, 22, 24, 26, 27, 28, 29, 32

Max Prugger, München: 4 (G 30/3639), 41 (G 30/57), 45, 47 (G 30/133), 48 (G 30/6089)

Christl Reiter, München: 25, 34

Staatliche Graphische Sammlung, München: 33

Stadtarchiv München: 1–3, 5–6, 18, 30, 31, 36, 37, 38, 39, 40, 42, 43, 44, 46

Württembergische Landesbibliothek Stuttgart: 10, 13, 15, 35